LA SORCIÈRE DU CONGÉLATEUR ET AUTRES CONTES DU GOBE-MOUCHES

Alain DEMOUZON est l'auteur d'une trentaine de livres dont la plupart sont des romans policiers. Il est également scénariste pour le cinéma et la télévision. Il a publié un album pour la jeunesse, *Le Rêve d'Antonin* (La Farandole), et a créé la série *Inspecteur Puzzle* (TF1) destinée aux jeunes téléspectateurs. Les *Contes du gobe-mouches* ont été primés par le Centre international d'études en littérature de jeunesse.

Du même auteur, dans la même collection :

Le Génie dans une boîte de coca et autres contes du gobe-mouches

Darcia LABROSSE est née en 1956 au Canada et vit à Montréal. Après le cinéma d'animation, elle est venue au livre pour enfants, tout en poursuivant parallèlement une carrière de peintre. Dans ses illustrations, douceur et humour prédominent. Ses ouvrages ont reçu de nombreux prix, entre autres : le Prix du Gouverneur général et le Prix du Conseil des arts du Canada en littérature jeunesse.

Alain DEMOUZON

La sorcière du congélateur et autres contes du gobe-mouches

Illustrations de Darcia Labrosse

Loi n° 49-956 du 16 juillet 1949 sur les publications destinées
à la jeunesse : juillet 1998.

ISBN 2-266-08099-7

À Barthélemy,
Émilie,
Clémence,

chiens jaunes & cochons désîles

À mon ami Pacifique

Darcia

Le gobe-mouches est un oiseau petit, très petit, qui aime bien gober les mouches, c'est pas difficile à deviner.

On dit aussi d'un badaud crédule qui « avale » toutes les histoires qu'on lui raconte : « C'est un vrai gobe-mouches ! »

Un jour, j'ai rencontré un gobe-mouches.
Il m'a raconté quelques histoires à propos de Clotilde et Corentin, deux enfants qui habitent en banlieue, à deux pas du jardin où mon gobe-mouches a son arbre…

A.D.

LA SORCIÈRE DU CONGÉLATEUR

Une nuit de pleine lune, Karabounia, la sorcière, eut une panne de balai. Elle chevauchait allégrement, à la poursuite d'une bande de chauves-souris, lorsqu'un éternuement de pétarade sortit de la touffe de genêts ébouriffés qui servait de moteur au balai.

— Marmitakaka, j'tombe en bas ! jura la sorcière. C'est sûrement le carburateur !

Malgré ses injures et de grands coups de pied dans le vide, elle perdit rapidement de l'altitude. Elle se posa au hasard sur une pelouse soignée, qu'elle avait d'abord prise pour un aérodrome de secours pour sorcières en détresse.

Elle essaya bien de réparer elle-même mais, comme beaucoup de sorcières, elle était surtout habile à se transformer en toutes sortes de choses épouvantables, genre araignée

mauve à pattes vertes, éléphants à carreaux ou interrogation écrite de maths. Mais elle était complètement nulle en mécanique balai — qui est très complexe. Bien sûr, elle aurait pu se transformer en carburateur neuf, mais elle n'eut pas cette bonne idée. Elle songeait seulement à l'aube qui arrivait : il lui fallait trouver rapidement un refuge !

Car notre sorcière détestait particulièrement la lumière du jour. Comme toutes les sorcières, direz-vous, mais celle-ci avait une horreur exceptionnelle de la lumière, à cause d'un lointain ancêtre, le comte Vlad Dracula, si vous voyez ce que je veux dire... Karabounia n'en était pas pour autant un vampire. Non, c'était seulement la lumière qui lui faisait mal aux yeux. Pour le reste, elle n'était pas du tout attirée par le sang... Sauf le sang de chauve-souris, bien sûr, comme tout le monde.

— Marmitakiki, me faut un abri ! dit-elle en se pressant vers la maison sur la pelouse.

Elle trouva la porte de la cave et descendit une volée de marches humides et gluantes qui lui parurent tout à fait accueillantes. Dans un coin sombre, elle aperçut un bon gros coffre aux allures de cercueil ; elle en ouvrit le couvercle avec un ricanement de satisfaction et se glissa dedans, parfaitement rassurée.

— Marmitakonkon, fait plutôt glaçon ! dit-elle en enfonçant son chapeau pointu sur ses oreilles et en s'enroulant dans sa belle cape trouée, effrangée et rapiécée.

Malgré le froid, elle s'endormit en ronflant. Et, comme toutes les sorcières bien moches, elle rêva qu'elle était la plus belle fille du monde : une princesse délicieusement jolie ; rose et pâle dans un très long sommeil, elle ne s'éveillerait qu'au baiser du Prince charmant...

Mais ce que Karabounia ne savait pas, c'est qu'elle s'était couchée dans le congélateur. Sans s'en rendre compte, elle se transforma rapidement en bloc de glace. Mais, comme les rêves — qui, eux, se donnent de l'exercice — sont beaucoup plus longs à geler que les rêveurs qui se refroidissent en dormant, ce fut sous l'aspect d'une belle princesse que Karabounia se trouva congelée.

Au matin, la dame qui habitait la maison (elle s'appelait Tatie Jeanne) envoya son neveu Corentin chercher des croissants surgelés pour le petit déjeuner. Corentin, mal éveillé, souleva en bâillant

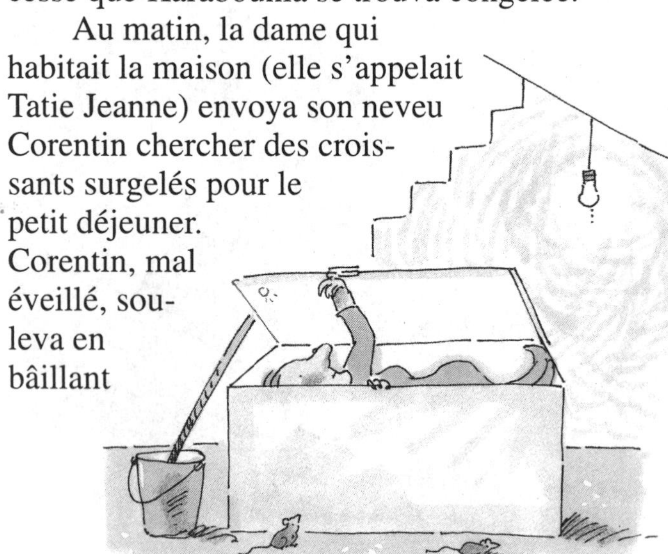

le couvercle du congélateur. Stupéfaction !... En découvrant la princesse endormie, il crut qu'il dormait debout et rêvait éveillé (si ces choses-là sont possibles). Il laissa retomber le couvercle et se frotta vivement les deux yeux avec les deux poings. Puis, convaincu que la vision avait cessé, il rouvrit le coffre et... la princesse endormie était toujours là, toute rose et pâle, et même un peu bleutée à cause de la fine couche de givre qui la recouvrait entièrement.

— Que vous êtes jolie ! murmura Corentin.

Et il ne put s'empêcher d'effleurer de la main le sein de glace de la belle endormie.

Karabounia battit des paupières et ouvrit les yeux, en marmonnant quelques fraîches paroles que Corentin ne comprit pas.

— Hein ? qu'est-ce que vous dites ?

Il se pencha sur les lèvres de la princesse.

— Marmitakékette, j'ai besoin de lunettes ! Marmitamémère, il y a trop de lumière !

Corentin fut étonné de ce langage. Il ne s'attendait pas à ça de la part d'une princesse ! Et puis, il trouvait que la belle s'était éveillée un peu trop facilement, il ne l'avait même pas embrassée, juste touchée un peu, pour voir.

Tout en réfléchissant aux étranges circonstances de cette découverte, Corentin alla éteindre le plafonnier. Un jour adouci passait par le soupirail.

— Vous êtes encore plus belle dans cette lumière ! dit Corentin.

Karabounia se serait bien tortillée d'aise à ces paroles mais, congelée comme elle l'était, elle ne put faire un mouvement, sauf battre des cils ingénus et faire palpiter ses lèvres dans l'attente d'un baiser. Elle ne s'était pas rendu compte de ce qui était advenu, et croyait que ces compliments s'adressaient à Karabounia la sorcière. Jamais on ne lui avait parlé avec une si agréable gentillesse.

— Mon prince, tu es mignon comme tout, Marmitakoukou ! Et ça sera pour moi un grand honneur de t'épouser, Marmita-néné ! grimaça-t-elle sous la glace.

Corentin parut ennuyé.

— C'est que je suis déjà fiancé à Clotilde. On s'est même mariés plusieurs fois, avec un vieux chapeau de l'Oncle Edmond et un rideau de cuisine de Tatie Jeanne. Mais quand on sera grands, on se mariera pour de vrai !

— Qui c'est, celle-là, cette Clotilde ? siffla la sorcière. Qu'est-ce qu'elle a de mieux que moi ?... Et pourquoi est-ce que je ne peux pas bouger ?

— Bah, vous êtes congelée, dit Corentin sur le ton de l'évidence.

— Congelée ? Mais c'est horrible ! Il faut me sortir de là tout de suite !

Décidément, cette jolie princesse avait une voix bien désagréable. C'était sans doute à cause du froid. En se réchauffant, elle retrouverait de douces intonations, comme des battements d'aile de colombe.

— Je reviens, dit Corentin. J'ai une idée.

Il prit les croissants qu'attendait Tatie Jeanne et remonta l'escalier quatre à quatre.

Mais il lui fut impossible de redescendre comme il le pensait : il dut prendre son petit déjeuner puis partir pour l'école. En chemin, il rencontra Clotilde.

— Qu'est-ce qui ne va pas ? demanda-t-elle en voyant son air morose.

— Oh, rien ! répondit Corentin avec un grand soupir.

Il pensait à sa princesse endormie et, plus il y pensait, plus il avait envie de la revoir. Et il en devenait amoureux encore plus. Et il en oubliait ses défauts ; comme cette voix de crécelle.

— Pourquoi tu ne veux pas me parler ? demandait Clotilde avec tristesse. Si tu as des ennuis, je peux t'aider.

Oh ! Corentin aurait tant aimé pouvoir parler de sa princesse ! Crier tout haut comme elle était belle, blonde, menue et souple (encore qu'un peu guindée sous la glace) ! Dire ses yeux clairs et brillants comme des lacs de ciel d'été, proclamer le battement gracieux de ses cils et chanter la mélodie suave de sa voix... heu ! non ! il ne pouvait pas dire ça : la voix était étrange et le langage bizarre. Personne n'est parfait !

— Allons ! dis-moi ! insistait Clotilde.

Mais ce n'était pas à elle qu'il pouvait raconter tout ça. Surtout pas à elle ! Alors il baissa piteusement le nez.

— C'est à cause d'une autre fille ? demanda Clotilde avec un soupçon jaloux.

Corentin se tut, il ne tricha pas en prétendant le contraire. Et Clotilde se sauva en pleurant.

La journée fut épouvantable pour tous les deux. Clotilde, d'une humeur massacrante, ne fit que des bêtises. Et Corentin, complètement noyé dans ses rêveries, attrapa plusieurs mauvaises notes à cause de son inattention et de ses étourderies.

Mais, lorsque la cloche sonna pour la fin de l'école, Corentin sembla se libérer d'un seul coup. Une joie sauvage crispa son visage, et il partit en courant vers la maison. Clotilde, qui d'habitude revenait pas à pas avec lui, le regarda s'enfuir, avec des larmes plein les yeux.

Arrivé chez lui, sans même prendre le temps de goûter, Corentin fila dans la salle de bains. Il emprunta le sèche-cheveux de Tatie Jeanne et descendit à la cave, le cœur battant.

— Ce n'est pas trop tôt, Marmitakoko ! Quand tu as une idée, ça prend son temps !

— C'est que j'ai dû aller à l'école, ma douce et belle princesse ! Ne craignez rien, je vais vous délivrer.

À ces mots, Karabounia gloussa de satisfaction : enfin quelqu'un qui se rendait compte à quel point elle était douce et belle ! Pourquoi donc tant de gens s'obstinaient-ils à la trouver laide, grincheuse et malfaisante ?

Corentin installa la table à repasser le long du congélateur et il fit glisser dessus la statue de glace.

« Voyons, se dit-il, par où vais-je commencer ?... La figure ? Mais ça ne va pas si mal de ce côté-là, à part la voix… Les pieds ! C'est toujours par là qu'on a le plus froid ! »

Et il commença à dégeler sa princesse par le bout des pieds. D'adorables petits doigts de pieds, roses comme des dragées.

Mais alors ! Il se passa une drôle de chose ! Au fur et à mesure que la chaleur revenait sur ces adorables petits orteils, une grosse paire de pantoufles molles les enveloppa, et d'épais bas gris plissés tombèrent sur

les si fines chevilles de la princesse, qu'on aurait dit jusque-là de l'ivoire et qui ressemblaient maintenant à de la peau d'éléphant !

« Hum ! se dit Corentin. Cette jolie princesse a la vilaine voix d'une sorcière et, maintenant, les pieds d'une sorcière… »

Il alla, mine de rien, passer un peu de séchoir sur les blonds cheveux de la princesse… Un chapeau pointu apparut bientôt : tout le rêve de la sorcière était en train de fondre. Corentin arrêta vite le séchoir.

— Eh bien, continue ! Qu'est-ce que tu attends ? corna la princesse, avec une voix de crécelle enrouée.

— C'est que… je pense que… je crois que… j'ai l'impression que…

— Kekeke… Koi ? Marmitakekoi !

— Que vous êtes peut-être une sorcière.

Karabounia éclata d'un méchant rire de moulin à café mal graissé.

— Prince des andouilles ! Bien évidemment ! Marmitakankan, ça ne se voit pas ?!

Karabounia avait maintenant le cou suffisamment dégelé pour pouvoir dresser un peu la tête et apercevoir le bout de ses pieds.

— C'est au milieu, dit Corentin, que vous avez l'air d'une princesse. C'est une supercherie, un gros mensonge. Vous n'êtes qu'une vilaine sorcière, laide, grincheuse et malfaisante !

Corentin donna un petit coup d'air chaud sur le visage cristallin de la princesse et, pof ! une grosse verrue poussa comme un champignon, avec du poil au bout. Un petit coup sur le nez et, pif ! un gros nez crochu comme un bec !

— Délivre-moi ! hurla Karabounia. Sors-moi de là, je t'en supplie ! Sinon…

— Sinon quoi ? demanda fièrement Corentin avec un sourire pour masquer sa peur.

— Sinon, je te change en… Marmitakinkin, je n'y peux rien ! Mon sac à malices et maléfices est pris dans la banquise, et ma baguette magique à vilains tours de cochon n'est qu'un glaçon sous ma robe à pompons !

— Ha, ha ! triompha Corentin. Sans moi, vous ne pouvez rien !

Karabounia prit le temps de réfléchir. Ce qui ne fut pas long, car les sorcières réfléchissent aussi vite qu'elles se déplacent en balai les soirs de pleine lune — quand elles ne tombent pas en panne, bien sûr !

— Si tu me libères de ce pull-over glacé, dit-elle, je te révélerai trois de mes secrets, tu as ma parole, Marmitakassrol !

— D'accord, dit Corentin. Va pour trois secrets !

Et il se mit au travail pour dégeler complètement la sorcière, en commençant par la ceinture de la robe.

— Cette chaleur est délicieuse, roucoula Karabounia, visiblement satisfaite d'être bientôt délivrée afin de pouvoir reprendre son existence vagabonde pleine de méchancetés.

Elle éternua trois fois :

— Atchou, Marmitakachou !... Atcheum, Marmitachewingum !... Atchi, Marmitalitchi !

Et elle se leva, cette fois tout à fait réveillée, et laide à faire peur dans sa cape trouée, effrangée, rapiécée.

— L'opération est terminée, dit Corentin. Vous me devez trois secrets.

Karabounia éclata de son méchant rire à faire fuir les chauves-souris.

— Voici mon premier secret, dit-elle : il ne faut jamais faire confiance aux sorcières, ce sont des gens sans parole et qui n'ont aucune reconnaissance.

— Je m'en doutais un peu ! dit Corentin qui avait pas mal lu sur les sorcières, sans en avoir encore rencontré jusque-là.

— Mon deuxième secret, c'est que sous ma triste apparence bat un frêle cœur de jeune

fille qui ne songe qu'à l'amour... Je ne suis qu'une colombe !

— Bof ! On dit ça !

— Et le troisième secret, c'est que je vais te changer en prince des sorcières ! hurla Karabounia. Tu seras laid, grincheux et malfaisant ! Et, comme ça, je pourrai t'épouser !

Et sur ce, avec un ricanement atroce, l'ignoble sorcière plongea les mains sous sa cape, à la recherche d'on ne sait quoi.

— C'est ça que vous cherchez ? demanda Corentin en montrant le sac à malices et la baguette magique qu'il avait pris la précaution d'enlever à la ceinture de la fausse princesse dès qu'elle s'était dégelée.

Voyant qu'elle était jouée, Karabounia s'étrangla de rage. Elle devint encore plus moche qu'avant, ce qui paraissait pourtant impossible. Et elle s'élança sur Corentin, avec tous ses doigts crochus en avant, et ses ongles affûtés comme des lames de canif.

— Donne-moi ce sac, rends cette baguette ! Sans les formules convenues, rien ne sera obtenu, Marmitakuku !

Corentin se sauva. Il grimpa les marches de la cave, fila le long du couloir et s'arrêta dans la cuisine.

— Je te rends tes affaires, dit-il, si tu me prouves que tu es bien une colombe… Peut-être qu'alors, je serai capable de t'aimer.

Il trempa le bout de son doigt dans la poudre magique et la lança sur la sorcière, qui se laissa prendre au piège.

Marmitabatteriedekuisinétoulebataklan ! cria Karabounia. Que douce colombe, je sois !

Et elle se métamorphosa à l'instant en colombe.

… À vrai dire, une colombe un peu mitée, aux plumes couleur de charbon, et avec ça trouées, effrangées et rapiécées !

— Je n'ai pas eu assez de poudre pour me blanchir, dit-elle d'une voix mielleuse. Donne encore !

— Tiens ! cria Corentin. Prends ce qu'il te faut !

Et il lança le sac et la baguette au fond du four à micro-ondes. En trois coups d'aile boiteuse Karabounia fut à l'intérieur. Corentin referma la porte.

— Ouvre donc, idiot ! Que je m'envole ! supplia la sorcière en donnant des coups de bec sur la porte du four.

— Oh non ! répondit Corentin. Il ne faut jamais faire confiance aux sorcières, ce sont des gens sans parole et qui n'ont aucune reconnaissance, voilà le secret !

— Ce n'est pas vrai ! C'était pour rire !

— Vraiment ?... Pourtant, vous êtes bien une colombe ? Donc, vous êtes tout à fait capable de me changer en prince des sorcières ! Merci de la proposition, mais ça ne m'intéresse pas !

Et sur ce, Corentin appuya sur le bouton du four. Pas pour décongeler, non. Ça, c'était déjà fait. Mais pour cuire.

Il y eut un éclair bref puis plus rien : le four était vide, la sorcière avait disparu à jamais (peut-être pas, après tout, allez savoir !).

— Corentin, tu en fais un remue-ménage ! se plaignit Tatie Jeanne en redescendant des chambres avec son aspirateur à la main. Tous ces cris, ce vacarme, ces cavalcades, un vrai sabbat de sorcières ! Avec qui étais-tu en train de jouer !

Corentin se gratta l'oreille : il savait bien que les enfants arrivent toujours à s'en tirer avec les sorcières. Mais, les grandes personnes ? Elles sont si fragiles, elles ne s'attendent jamais à ces choses-là, c'est des coups à leur donner des crises cardiaques. Une sorcière dans le congélateur, imaginez un peu !

— Je jouais, dit simplement Corentin.

Et il commençait à se demander si cette aventure avait bien existé.

— Va donc te calmer dehors, dit Tatie Jeanne. Je dois nettoyer en bas.

Corentin alla dans le jardin. Clotilde le guettait derrière la haie. Il s'approcha d'elle avec un air penaud.

— Je te demande pardon, dit-il. C'est fini avec cette princesse… Elle paraissait bien comme ça, belle comme dans un conte, mais à y regarder de près…

— C'était une chipie ? demanda Clotilde avec assurance.

— Oh, pire que ça... une vraie sorcière !... Mais je commence à croire que tout ceci n'était qu'un rêve.

— Corentin, mon garçon ! cria l'Oncle Edmond de l'autre bout du jardin. C'est toi qui m'as laissé traîner ça sur la pelouse ?

Et il brandissait à bout de bras un vieux balai de genêts tout ébouriffés.

LE DRAGON DU CABANON

Pendant les vacances, Clotilde allait souvent chez sa grand-mère. Il y avait un grand parc autour d'une vieille maison et, au fond du parc, un cabanon où Clotilde n'avait jamais le droit d'entrer.

C'était une baraque de planches appuyée au tronc d'un arbre si gros, si haut et si touffu que l'ombre à son pied était toujours très obscure, très froide et très humide. Dans ce cabanon, on avait entreposé des outils pour l'entretien du parc : une scie, une hache et une serpette. C'était pour ça que Clotilde n'avait pas le droit d'aller vers le cabanon, cet endroit était dangereux, elle aurait pu se blesser, se couper, et faire couler son sang.

— J'ai connu une petite fille très désobéissante qui est allée dans le cabanon, disait

le père de Clotilde. Et la hache, furieuse d'être dérangée pendant sa sieste, lui est tombée sur la tête et l'a fendue en deux comme on coupe une pomme !

— Une autre fois, disait en écho la mère de Clotilde, la petite fille désobéissante est allée déranger la scie qui était en train de se laver les dents, et la scie grincheuse lui a tranché la langue en deux morceaux, et il y avait une jolie flaque de sang que sont venus boire le hérisson, l'orvet et l'araignée — la grosse, la velue, celle qui ronfle dans le tas de bois !

Après, c'était au tour de la grand-mère :

— La serpette dormait tout en rond sur le sol, gémissait l'aïeule, mais la petite fille désobéissante lui a marché sur la queue, et la serpette venimeuse lui a cisaillé le bout du nez et croqué les oreilles en pointe !

Avec de telles histoires, Clotilde avait très peur de s'approcher du cabanon, vous pensez bien !... Mais elle avait aussi très envie de rencontrer la petite fille désobéissante car, sans aucun doute, après tous ses malheurs, la petite fille coupée en morceaux avait dû rester vivre dans le cabanon... Où aurait-elle pu aller, sans langue et sans nez, les oreilles en pointe et la tête fendue ?

Aussi, à chaque fois qu'elle le pouvait, Clotilde s'en allait rôder près du cabanon. Son cœur battait fort et ses jambes flageolaient tandis qu'elle repoussait une à une les branches qui barraient l'allée interdite menant au cabanon. Elle avançait du bout du pied, ayant bien soin de remettre en ordre les rameaux qu'elle venait d'écarter. Et elle s'excusait du dérangement, ayant assez peur que les branches rageuses ne viennent aussi à se mettre en colère, la cinglant aux jambes et la giflant dans les yeux. Et puis, au premier craquement de bois mort, au premier envol de ramier, la peur submergeait Clotilde, elle faisait demi-tour et fuyait à toutes jambes.

Les branches rageuses, évidemment, lui cinglaient les mollets et lui giflaient la face. Et

la pauvre Clotilde avait encore plus peur la fois suivante.

Un jour pourtant, peu après son anniversaire, s'étant persuadée qu'elle était désormais une grande fille qui ne devait plus craindre toutes ces sornettes, Clotilde marcha bravement jusqu'au bout de l'allée. Sa grand-mère et sa mère étaient absentes ce jour-là, et son père était parti travailler à la ville voisine. Elle posa le pied sur la mousse humide qui verdoyait entre les racines contournées de l'arbre sombre. Elle mit sa main tremblante sur la poignée du cabanon. Et elle poussa la porte !

Il n'y eut pas même un grincement. La porte s'ouvrit comme si elle était parfaitement huilée.

Clotilde s'en trouva toute rassurée. Elle entra gaillardement.

Le cabanon était noir et Clotilde ne vit rien du tout.

— Petite-fille-désobéissante, es-tu là ? demanda-t-elle à l'obscurité.

Il n'y eut pas de réponse. Dans le parc, les oiseaux chantaient et le soleil dansait là-haut, jaune et vert dans les branches.

Clotilde fit un pas en avant. Une lumière pâle filtrait par les planches disjointes et Clotilde commença à mieux deviner l'obscurité. Elle aperçut la hache, coincée par la tête entre deux chevilles de bois. C'était une vieille hache au tranchant émoussé, au manche vermoulu, et toute couverte de toiles d'araignée.

— Ah, c'est toi, la hache ! dit joyeusement Clotilde, ravie de reconnaître un personnage de cette histoire qui lui faisait si peur depuis l'enfance.

La hache ouvrit un œil rouillé.

— Qui es-tu, petite ? C'est toi la désobéissante ? demanda-t-elle d'une voix furieuse.

— Oh, non, madame ! Je vous demande pardon. Je m'appelle Clotilde et je regrette de vous avoir dérangée dans votre sieste.

— Rouille-misère ! Ça ne fait rien ! répondit la hache d'une voix radoucie. J'ai bien assez dormi ! Et il y a trop longtemps que je n'ai pas pris d'exercice. On finit par se rouiller ! Veux-tu, Clotilde, avoir la gentillesse de me sortir un peu de ce cabanon ? J'irais bien casser du bois !

Clotilde hésita.

— Est-ce que vous n'allez pas me fendre la tête en deux ?

La hache éclata d'un petit rire aigrelet.

— Certes, non, nigaude ! À moins que tu n'aies la tête en bois ?

Clotilde frissonna. Souvent, son père l'avait traitée de « tête de bois » quand elle s'obstinait à réclamer quelque chose qu'on ne voulait pas lui accorder.

Néanmoins — car elle avait à la fois très peur et très envie d'avoir peur — elle décrocha la hache et la conduisit jusqu'au tas de bois.

— Hum ! ça fait du bien ! dit la hache en gonflant ses poumons de ce bon air de sous-bois qui sentait la fougère et le champignon.

Et alors, dansant dans les petites mains de Clotilde, la hache fit danser à leur tour les bûches de bois, les fendant bravement en bûchettes menues. Le soleil, tout là-haut, dansait avec elles en grand sourire.

Quand tout le bois fut coupé, Clotilde raccompagna la hache jusqu'au cabanon, l'aida à grimper entre les deux chevilles où était sa place.

— Merci, dit la hache-furieuse. C'était une délicieuse journée, je saurai m'en souvenir.

— Ce sont toujours les mêmes qui s'amusent ! se plaignit une voix grincheuse.

C'était la scie. Accrochée par une ficelle à un clou, elle avait le ruban froissé, les dents gâtées.

— Grince-misère, j'aimerais bien scier quelques planches ! dit-elle.

— Est-ce que vous n'allez pas me trancher la langue ? demanda Clotilde.

— Certes non, nigaude ! À moins que tu n'aies la langue trop bien pendue ?

Clotilde frissonna, car elle était très bavarde. Et, souvent, sa mère lui avait dit qu'elle avait « la langue bien pendue ». Cette fois, elle se garda bien d'en dire trop, et elle emmena la scie vers le tas de planches, sur l'arrière du cabanon.

La scie s'en donna à cœur joie. Clotilde la raccrocha après qu'elle eut débité toutes les planches en minuscules planchettes de rien du tout.

— Merci, dit la scie-grincheuse. C'était une délicieuse journée, je saurai m'en souvenir.

— Et moi ? siffla amèrement la serpette-venimeuse.

Clotilde se baissa pour ramasser la serpette. Son manche était piqué aux vers et sa lame bien ébréchée.

— J'espère que vous n'allez pas me cisailler le bout du nez et me tailler les oreilles en pointe ?

— Certes non, nigaude ! À moins que tu n'aies le nez trop long et les oreilles qui traînent ?

Clotilde frissonna. Comme elle était assez curieuse, sa grand-mère lui avait souvent reproché d'avoir « le nez trop long et les oreilles qui traînent ». Elle ne répondit rien et partit avec la serpette couper des tiges et des baliveaux dans le taillis qui avait envahi le sous-bois. Quand la serpette eut cisaillé tout son soûl de petites branches — bientôt réduites en brindilles — Clotilde alla la recoucher dans le cabanon.

— Merci, dit la serpette-venimeuse. C'était une délicieuse journée, je saurai m'en souvenir, tranche-misère !

— Moi aussi ! dit Clotilde. Vous êtes trois amies charmantes et, pourtant, on m'avait dit beaucoup de mal de vous. Je me demande bien pourquoi.

Mais personne n'entendit ces paroles car, épuisées par tant d'exercice, la hache-furieuse, la scie-grincheuse et la serpette-venimeuse s'étaient déjà rendormies.

Le lendemain, après une très longue nuit de rêves étranges, Clotilde revint au cabanon. Elle ne craignait même plus les branches et les épines et sautait comme un cabri par-dessus les tiges flexibles qui auraient tant voulu lui gifler les fesses. Elle arriva en riant et poussa la porte défendue, les deux mains en avant.

— Aïe ! cria-t-elle.

Car elle venait de se piquer. Une écharde de bois, effilée comme une quenouille et affûtée comme un poignard, s'était plantée au cœur de sa main gauche. Du sang coulait.

Aussitôt, arriva le hérisson, tout barbu dans ses piquants et trottant vivement sur ses courtes pattes.

— Clotilde n'est pas pour toi, rouille-misère ! grogna la hache-furieuse.

Et elle sauta sur le hérisson et rasa court toutes ses pointes. Le hérisson s'enfuit, rose et nu comme un petit cochon, et tout honteux.

— Ça repoussera ! dit la hache.

Alors, arriva l'orvet. Il était tout lisse et rond comme un serpent, bien que ce ne soit qu'une sorte de lézard sans pattes.

— Clotilde n'est pas pour toi, grince-misère ! s'emporta la scie-grincheuse.

Et, avant d'avoir pu boire une seule goutte de sang, l'orvet se trouva débité en trois morceaux qui sautillaient dans tous les sens comme des saucisses dans une poêle.

— Il se recollera bien tout seul ! dit la scie.

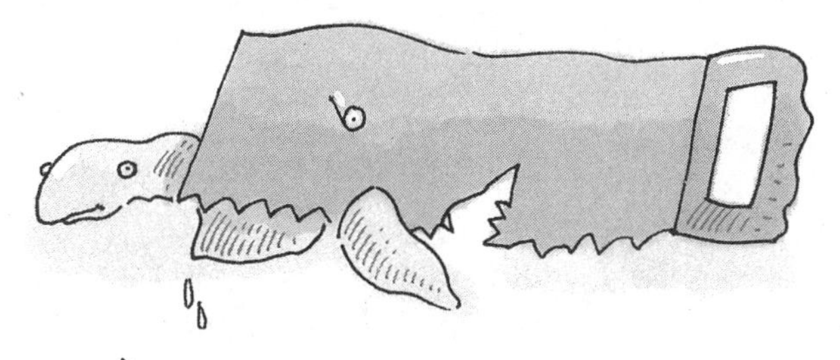

À ce moment, on entendit le ronflement de l'araignée, la grosse et velue, celle du tas de bois, qui se précipitait à son tour.

— Clotilde n'est pas pour toi, tranche-misère ! tempêta la serpette-venimeuse.

Et elle faucha les pattes de l'araignée qui roula comme une bille vers le taillis, sans plus pouvoir s'arrêter.

— Ça cicatrisera et ça bourgeonnera ! dit la serpette. Elle aura bientôt ses quatre paires de pattes !

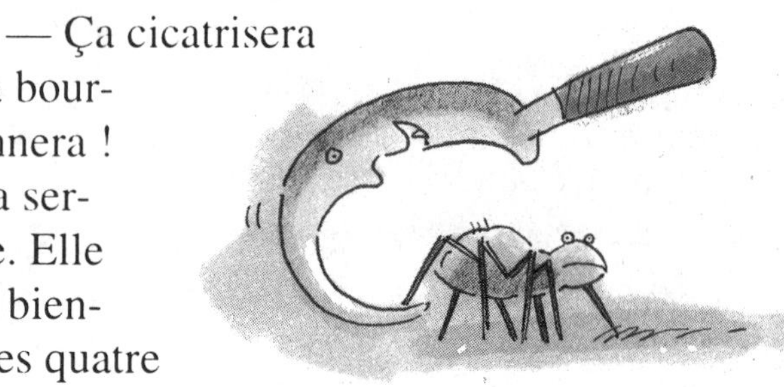

— Oh, merci vraiment de m'avoir sauvée ! s'écria Clotilde. J'ai eu très peur.

— Nous te devions bien ça, nigaude, ronchonna la hache-furieuse. Tu nous as fait plaisir, hier, mais maintenant nous voilà quittes. Gare à la prochaine fois !

— Quelle prochaine fois ? demanda innocemment Clotilde.

— Oh ! Nous te connaissons bien, grommela la scie-grincheuse. Maintenant que tu as osé entrer ici…

— Tu ne vas pas te priver de revenir ! siffla la serpette-venimeuse.

Clotilde haussa les épaules. Elle s'enferma dans le cabanon et s'amusa bien tout le jour.

Le lendemain, bien sûr, elle revint à la première heure.

Elle ouvrit la porte du cabanon avec grande précaution, prenant garde à ne pas se blesser. Elle entra et, aussitôt, toussa : il y avait de la fumée partout !

— Mais que se passe-t-il donc ici ? cria Clotilde à travers ses larmes (la fumée lui piquait fort les yeux).

Un grognement inquiet lui répondit. Elle entendit un bruit furtif, comme si quelqu'un se cachait dans le recoin le plus sombre du cabanon.

— Qui est là ? demanda Clotilde d'une voix angoissée.

— Ben, c'est moi ! Qui veux-tu que ce soit ? répondit une voix insolente.

— Je n'y vois rien ! toussa Clotilde.

Elle s'avança en battant l'air avec ses mains pour dissiper la fumée. Un charmant courant d'air, qui venait d'un carreau cassé, tout à fait serviable, lui donna un coup de main au bon moment, et Clotilde put y voir clair.

Ce qu'elle aperçut, accroupi sur sa queue verte entre un tas de cageots et une pile de vieux pots à fleurs, faillit bien lui faire prendre la fuite.

— Eh quoi ! Tu n'as jamais vu de dragon ? ricana le dragon.

Clotilde, stupéfaite, regardait la drôle de bestiole : pas plus grosse qu'un chat, mais d'un joli vert fluo, avec des écailles pointues sur le dos et la queue, des cornes effilées et tortueuses, un mufle à grosses narines fumantes, et une vraie langue de caméléon, très longue, très rouge, et enroulée comme un serpentin. Finalement, un dragon tout à fait ordinaire, mais d'une taille très au-dessous de la moyenne.

— Tu es bien petit, pour un dragon, dit Clotilde en se ressaisissant.

— Un peu faiblard, ouais, je sais. Et je n'arrive même pas à faire du feu convenablement. Pourtant, j'aimerais bien cracher une belle flamme, vive et claire, et fulminer comme il convient à un beau dragon ! Malheureusement, je n'arrive qu'à tousser une vilaine fumée puante. Peut-être suis-je encore trop jeune ?... Est-ce que tu accepterais de m'aider à grandir ?

Clotilde dansait d'un pied sur l'autre. Elle ne savait que faire. Pour dire la vérité, c'était bien la première fois qu'elle se retrouvait avec un dragon sur les bras.

Elle se tourna vers la hache avec un air suppliant.

— Nigaude ! c'est à toi de te débrouiller, maintenant, gronda la hache-furieuse qui depuis le début observait Clotilde du coin de l'œil. Nous ne pouvons plus rien faire pour toi. Est-ce qu'on ne t'a jamais dit qu'on trouvait souvent des dragons au fond des cabanons ?

Clotilde regarda la scie-grincheuse et la serpette-venimeuse, mais elles dormaient si profondément qu'elle n'osa pas les réveiller.

— Eh bien, dit-elle en soupirant. Qu'est-ce que je peux faire pour t'aider à grandir, cher petit dragon ?

— J'ai faim, dit le dragon. J'ai besoin de grossir. Il faut me nourrir ! Je ne suis qu'un bébé, après tout !

— Tu veux que je te donne le sein ? demanda Clotilde avec effarement.

— Mais non, nigaude ! Il me faut la nourriture normale des dragons.

— Et quelle est la nourriture habituelle des dragons ?

— Tu le sais bien : nous nous nourrissons principalement de chevaliers qui viennent se jeter tête baissée dans notre gueule ouverte.

— Ils sont stupides, ces chevaliers !

— Pas toujours. Ils nous combattent avec acharnement. Il est reconnu que le chevalier-sans-peur est la principale cause de mortalité chez les dragons. En fait, nous sommes des prédateurs réciproques. Et certains écologistes estiment que la prolifération des dragons explique la raréfaction des chevaliers blancs et autres princes charmants, qui n'ont pas pu se reproduire suffisamment vite. Il faut dire que notre astuce d'utiliser les princesses captives comme appât leur rend les relations amoureuses particulièrement délicates… Est-ce que tu ne veux pas pleurer, sangloter, crier et supplier de toutes tes forces ? On n'a encore rien trouvé de mieux pour attirer les chevaliers errants !

— Mais je ne suis pas une princesse captive !

— C'est ce que tu crois ! dit le dragon, retrouvant sa voix insolente de sale gamin. (Sa langue se déroulait et s'enroulait comme un yoyo.)

— Hi, hi ! C'est un beau fiancé pour toi ! ricana la hache-furieuse.

— Pfft ! Quel joli fils vous avez là, madame ! se moqua la scie-grincheuse.

— Ron-pichch, nigaude ! ronfla la serpette-venimeuse, toujours endormie.

Clotilde haussa les épaules, avec un regard méprisant envers celles qu'elle croyait jusque-là ses amies.

— Je n'ai plus envie de jouer, dit-elle. Je rentre à la maison.

Et elle abandonna le cabanon en courant, persuadée que tous ces enchantements et maléfices cesseraient dès qu'elle aurait fermé la porte.

Mais, au bout de quelques enjambées, elle réalisa que le dragonnet filait derrière elle de toute la vitesse de ses petites pattes. Sa queue glissait en chuintant à travers les fougères et son museau à gros trous de nez rotait des petits nuages de fumée en chapelet. On aurait dit qu'un train miniature poursuivait Clotilde.

— Va-t'en ! cria Clotilde. Je n'ai plus besoin de toi. Je ne veux plus jouer avec vous ! Je n'irai plus jamais dans le cabanon.

— Mais moi, j'ai besoin de toi ! pleurnicha le dragon. Tu as dit que tu me nourrirais.

— Je n'ai rien promis !

— Tu dois m'élever jusqu'à ce que je devienne grand et alors je t'épouserai.

— Quelle idée stupide ! Je ne te dois rien du tout.

— De toute façon, je viens avec toi. Ton père va faire une drôle de tête en me voyant, et ta mère va certainement éclater en sanglots ! dit le dragon avec une joie méchante. Quant à ta grand-mère, j'imagine ce qu'elle va te raconter !

Clotilde s'assit sur une souche, pour réfléchir. Elle comprenait trop bien ce qui allait se passer si elle ramenait son dragon à la maison. Ses parents ne seraient probablement pas ravis. Alors, elle se demanda si elle ne pourrait pas cacher la bête dans sa chambre, sans que personne le sache. Mais la fumée poserait des problèmes d'aération et de tuyauterie. Et puis, en grossissant, le dragon allait prendre de plus en plus de place. On ne saurait plus où le caser. Et puis, le jour où il réussirait à cracher le feu comme il faut, il est probable que toute la maison brûlerait ! Et Clotilde avec !

— Tu as toujours faim ? demanda-t-elle au dragon qui attendait bien sagement assis sur sa queue comme sur un tabouret.

— Plus que jamais !

— Si je pleure et si je gémis pour appeler un chevalier, tu me promets de ne manger que le cheval ?

— Désolé, je ne peux rien promettre de tel, dit le dragon. Tu serais capable de te marier avec le chevalier pendant que je fais ma sieste digestive... Les dragons ont besoin de dormir beaucoup après avoir gobé un cheval harnaché ou un chevalier. Surtout s'il est en armure. Toute cette ferraille, c'est très fatigant pour l'estomac.

— Bon, tant pis ! dit Clotilde.

Elle se dressa sur la souche et commença à pleurer en se tordant les mains.

— Au secours, chevalier ! À moi ! Je suis prisonnière d'un terrible dragon !

Elle avait plutôt envie de rire, car ce dragon était vraiment chétif et malingre. Et elle imaginait que le premier chevalier venu n'aurait aucune peine à le pourfendre d'un seul grand coup d'épée.

— Voilà ! Voilà ! j'arrive ! cria le chevalier du fond du taillis sous les grands arbres.

On entendit un bruit de galop. Mais, à dire vrai, un galop très léger. Vraiment très très léger. Pour ne pas dire imperceptible.

— Sus à la bête ! cria l'araignée (car c'était elle, ayant déjà retrouvé ses huit pattes).

Elle s'arrêta à quelques pas de Clotilde.

— Princesse, je vais combattre pour toi. Si je sors vainqueur, je ferai de toi mon épouse. J'espère que tu trouves l'idée agréable ?

Clotilde dissimula son dégoût. Tant qu'à se marier, elle préférait encore le dragon !

— Va, preux chevalier ! dit-elle à l'araignée, non sans perfidie. Tu es mon prince et mon champion !

Et elle lança un léger baiser du bout des doigts. L'araignée, rougissante de bonheur, fonça sur le dragon.

La langue de caméléon se déroula et *slurp !* le dragon ne fit qu'une bouchée du chevalier araignée.

— Je te l'avais dit, ces chevaliers sont stupides ! maugréa Clotilde, à la fois heureuse d'être débarrassée de l'araignée et malheureuse de rester prisonnière du dragon.

Elle se remit à crier :

— À l'aide, par pitié ! Un horrible dragon me menace !

Avec un sifflement viril, l'orvet se dressa d'un coup devant Clotilde.

— Quand j'aurai vaincu le monstre, tu seras mon épouse, dit-il.

Et — slurp ! — la langue du dragon l'avala.

— À moi ! Au secours ! À l'aide ! Ce dragon immonde veut faire de moi sa proie ! hurla de plus belle Clotilde.

— C'est parfait ! dit le dragon en appréciant. Ces hors-d'œuvre m'ont mis en appétit et j'espère que tu vas nous attirer un joli plat de résistance !

Clotilde avait bien idée de ce qui allait arriver ensuite et ça l'amusait d'avance.

Trottinant sur ses pattes minuscules, le hérisson se présenta en effet, tout bardé de piquants neufs.

— Princesse ! je vais me battre pour ton honneur et, quand j'aurai…

— Je sais ! Je sais ! dit Clotilde. Nous nous marierons !… Mais débarrasse-moi d'abord de ce méchant dragon !

— Oh ! Je ne suis pas méchant ! dit le dragon vexé. Je fais simplement mon métier de dragon.

Et sur ce — slurp ! — il englua le hérisson et l'engloutit tout rond.

— Tu es stupide, aussi ! cria joyeusement Clotilde en battant des mains.

— Ah ? Pourquoi ? demanda le dragon en ouvrant des yeux de batracien surpris.

— Pscchhtt !

Une première crevaison se produisit dans la peau du dragon, juste à hauteur du nombril. Et puis… pschtt ! pschtt !!… une autre, deux autres, trois, neuf, dix-huit !… De partout le dragon crevait, percé par les mille lances du hérisson qui, dans le ventre du monstre goulu, se démenait comme un beau diable.

— Oh ! mon dragon ! cria Clotilde, sans savoir si elle était contente ou mécontente de le voir ainsi disparaître.

En quelques instants, le dragon ne fut plus qu'une sorte de baudruche dégonflée d'où le hérisson sortit, vainqueur.

— Ce dragon n'était pas trop malin, dit-il modestement. À vaincre sans péril, on triomphe sans gloire.

— L'essentiel est de participer, répliqua Clotilde. Est-ce que tu veux vraiment m'épouser ?

— Absolument ! C'est la règle du jeu... Et puis, je suis amoureux de toi depuis que je t'ai vue dans le cabanon.

Clotilde se mit à rougir, car elle ne pensait pas avoir été observée quand elle allait jouer dans le cabanon interdit.

— Tu ne diras rien ? supplia-t-elle. Et puis, d'abord, comment sais-tu parler ?

— C'est que je suis un chevalier transformé en hérisson par une sorcière. J'avais refusé de lui céder ma place dans le bus, un jour où j'étais trop crevé. Une erreur de jeunesse.

— L'araignée et l'orvet étaient aussi des chevaliers envoûtés par une sorcière ? s'étonna Clotilde.

— Oui, oui, râlèrent l'orvet et l'araignée en sortant péniblement de sous la peau crevée du dragon.

Et ils partirent en maugréant vers le bois.

— C'est toujours le plus nul qui gagne ! disait l'un.

— Je ne vois vraiment pas ce qu'elle lui trouve, à ce type ! disait l'autre.

Clotilde leur fit un petit signe d'adieu ironique.

— Tu sais, dit-elle au hérisson, tu es très mignon. Si tu promets de ne jamais parler en présence de mes parents, je t'emmène dans ma chambre. Ça sera beaucoup plus facile qu'avec le dragon. Je dirai que je t'ai trouvé dans le parc, ce qui est la vérité. Et je te donnerai du lait et des pommes, je t'installerai dans une boîte à chaussures, avec des feuilles sèches… Est-ce qu'un jour tu redeviendras un prince charmant comme les autres ?

— Sûrement, dit le hérisson. Si tu m'aimes assez fort. Quand on aime beaucoup, le pouvoir des sorcières finit par disparaître... Actuellement, je ne cesse d'être hérisson que de la première étoile du crépuscule jusqu'au premier rayon de l'aube.

— Oh ! c'est très suffisant pour l'instant ! avoua Clotilde en rosissant.

Et elle prit le hérisson dans ses bras pour l'emporter dans sa maison.

UN BUFFET EN RIDEUX MASSIF

Il y avait depuis toujours, dans le grenier d'Oncle Edmond et de Tatie Jeanne, un vieux buffet en bois ciré que Corentin trouvait très attirant. C'était un buffet très sombre, plein de sculptures et de décorations. Il y avait des colonnettes torsadées, de minuscules balustrades pour ranger les assiettes au fond du vaisselier, des gueules de lions sur le devant des tiroirs, et des pieds de griffons pour tenir les étagères vitrées de la partie haute. En bas du buffet, deux portes de chêne sculpté représentaient la chasse au sanglier. À gauche, la bête sortant du bois, poursuivie par la meute. À droite, la mort du sanglier, poignardé par un chasseur au milieu des chiens hurlants.

— Ce n'est qu'un vieux buffet Henri II... Hon, hon ! souriait Oncle Edmond chaque fois que Corentin insistait pour monter avec lui au grenier.

— Je veux voir le buffet en rideux !... S'il te plaît ? suppliait Corentin.

Et l'oncle acceptait, le temps d'aller ranger de vieux journaux et d'en descendre d'autres.

Corentin, pendant le temps de la visite, suivait d'un doigt plein de poussière l'un des chemins du mystère tracé dans le bois par la fantaisie d'un ébéniste, il y avait de cela bien longtemps.

— Tu peux y aller, c'est du massif ! faisait invariablement remarquer Oncle Edmond.

Et Corentin était très fier d'avoir chez lui un buffet en « rideux massif », ce qui vous a quand même une autre allure que le placage sur aggloméré !

Un jour que Tatie Jeanne avait emmené Oncle Edmond chez le docteur, Corentin alla chercher la clé du grenier dans la vieille boîte à sel (ce qui était bien sûr défendu !) et il s'offrit de regarder, pour lui tout seul et aussi longtemps qu'il le voudrait, ce merveilleux buffet en rideux massif !

Les marches de l'escalier craquèrent autant qu'il le fallait pour donner mauvaise conscience, et la porte du grenier grinça pour avertir qu'il était encore temps de ne pas franchir la ligne fatidique entre le parquet ciré du palier et le sol poussiéreux du grenier. Mais Corentin n'avait plus assez peur, il ne recula pas.

Le buffet était là, noir, lourd et solennel, endormi sur des menaces. Corentin s'agenouilla dans la poussière ; cette fois, personne n'était là pour le lui interdire. D'une main qui tremblait seulement à l'intérieur, il attrapa

le groin du sanglier et le serra fort dans ses doigts…

… Aussitôt, il entendit les chiens, leurs aboiements rauques, leurs glissements de serpents dans les herbes sèches à l'orée du bois et puis, en arrière, le claquement des sabots et les jurons des seigneurs contre les basses branches qui freinaient leur galopade en forêt.

Corentin reprit sa course. De l'écume vola de ses babines vers le vent contraire et le jeune sanglier qu'il était devenu fit un écart pour se replacer. Il savait qu'il ne devait pas se lancer tête baissée vers la plaine car les cavaliers le rejoindraient trop facilement. Il laissa les chevaux s'empêtrer en lisière, et profita de l'imperceptible désarroi des chiens de vautrait — qui sentaient leurs maîtres distancés — pour crocheter dans une ravine submergée de ronces. Il rejoignit à plein cul les obscurs taillis où les veneurs auraient bien du mal à le débusquer. Dans son dos, une sonnerie de trompe signala sa ruse et Corentin reçut cette fanfare comme un hommage à sa vaillance et son intelligence. Fauve pourchassé, il replongea au cœur de la grande forêt.

La chasse à courre dura jusqu'à la tombée du jour. Cent fois Corentin se crut perdu ; cent fois, il se crut sauvé. La hargne des chiens ne laissait que des répits illusoires, et l'obstination des chasseurs semblait sans limite. Épuisé, Corentin quitta le sous-bois, les chiens l'encerclaient de toutes parts. Au petit trot, il

se dirigea vers une masure dont la cheminée fumait paisiblement au centre de la grande clairière. Il allait s'acculer au mur, faire face, et bien des chiens connaîtraient alors la force et le tranchant de ses défenses ! Il serait bientôt mort, de mille morsures et d'un coup de couteau au cœur, mais il vendrait chèrement sa peau de gros poils durs !

— Viens donc un peu par ici, toi, le ragot ! dit un vieil homme en longue robe blanche qui sortait de la chaumière avec une faucille à la main.

Il alla ouvrir la porte basse d'un appentis au sol couvert de paille.

Corentin suivit.

— Ici, tu ne risques plus rien, ragot ! Tu es sous ma protection. Les chasseurs n'oseront pas venir.

— Je ne m'appelle pas Ragot, mais Corentin, monsieur le druide !

Le druide fit une drôle de figure derrière sa barbe blanche.

— Par Teutatès ! Un ragot qui parle !

— J' m'appelle pas Ragot…

— Oh ! Pour moi, tu n'es qu'un sanglier d'entre deux et trois ans et ça s'appelle un *ragot* !

— J'ai bien plus que trois ans, dit Corentin. Et je suis un petit garçon.

Le druide se gratta la tête avec embarras.

— Et qui donc t'a ainsi changé en sanglier, malheureux moutard ? Un de mes confrères ou la concurrence féminine… je veux dire est-ce un sorcier ou une sorcière ?

— C'est un buffet en rideux massif, expliqua Corentin. Il se trouve dans le grenier d'Oncle Edmond et de Tatie Jeanne et puis alors…

Il raconta toute l'histoire, mais le druide n'y comprenait rien.

— Rideux ?… Rideux !… Voilà qui n'a aucun sens !… Et c'est quoi un « buffet » ?… Qu'est-ce que veut dire « banlieue » ?

Corentin haussa ses épaules musclées de sanglier.

— Dites, vous n'auriez pas un Coca ? J'ai couru tout l'après-midi et je crève de soif !

Le druide commença à regarder Corentin d'une drôle de façon.

— Qui es-tu, Corentin ?... Un démon ?... Un esprit du mal dont le langage m'est partiellement inconnu ?... Quel pouvoir magique ont ces paroles mystérieuses que tu prononces ?... Si ça se trouve, ta chair n'est même pas comestible ! Moi qui comptais sur toi pour le cuissot rôti, la daube mijotée, le museau vinaigrette et le fromage de tête persillé !

Et sur ce, déçu et inquiet, le druide claqua la porte de l'appentis. Corentin se retrouva dans le noir, il se coucha sur le flanc et s'endormit, écoutant dans son premier rêve les aboiements des chiens qui s'éloignaient.

Au matin, une belle lumière d'été éveilla Corentin. Le druide venait d'ouvrir la porte.

— Vous allez me tuer pour me manger ? demanda notre ami avec terreur, prêt à se défendre.

— Hum, ce n'est pas prévu aujourd'hui... Je t'ai sauvé la vie. Aussi, tu me dois service et allégeance. Si tu trouves pour moi la nourriture éternelle née de la foudre, je t'épargnerai.

Sur ce, le druide poussa du pied une bûche creusée en mangeoire et emplie d'eau claire, et il sortit d'un sac en peau quelques poignées de faines et de glands. Corentin déjeuna de bon appétit.

Ensuite, ils partirent pour la forêt.

— Allez, cherche, ragot ! Trouve la pomme noire qui pousse là où l'éclair a frappé !

« Il est complètement barjot ! se disait en lui-même Corentin. Mais autant ne pas le contrarier. »

Et il se mit à fureter alentour des chênes, en reniflant çà et là. Parfois, il fouillait la terre de quelques coups de boutoir bien appliqués, afin de prouver sa bonne volonté.

Soudain, une odeur délicieuse monta à ses narines et Corentin se mit à creuser pour de bon. Le druide, très excité, l'encourageait. À chaque brassée de terre remuée, l'odeur devenait plus forte et plus savoureuse. Corentin poussait des petits grognements satisfaits. Il s'arrêta lorsque son groin buta sur une sorte de pierre noire et molle bosselée comme un morceau de charbon.

— Tu as trouvé, ragot !... Quelle merveille !... Cherche encore !

— Mais ce sont des truffes que vous voulez ? s'étonna Corentin. Ça n'est jamais qu'une sorte de champignon, vous savez ! Ça n'a rien à voir avec la foudre, ni l'éternité... mais c'est très bon quand même. Enfin... faut aimer.

— Tais-toi, impie ! Ne m'abreuve pas de tes superstitions démoniaques !... allons, cherche encore ! Je veux remplir mon sac.

Corentin chercha et trouva des truffes, jusqu'à remplir le sac. Le druide était ravi :

— Quelle magie ! Je vais pouvoir concocter des philtres, des breuvages et des potions !

— Ça ne serait pas meilleur en omelette, ou avec du foie gras ?

Le druide assena un bon coup de manche de faucille sur l'échine de Corentin.

— File droit, ragot !... Tu ne finiras pas en terrine, sois tranquille ! Tu m'es désormais bien trop précieux. Grâce à toi, je vais devenir le druide le plus célèbre et le plus fortuné de la forêt des Carnutes. Je ne vais pas te découper en rondelles pour te faire cuire, il me suffira de ta langue ! Je te la trancherai bien proprement, comme il faut et, par Bélénos, je me la mangerai sautée à la poêle !

— Mettez-y quelques truffes ! ironisa Corentin avec amertume.

Mais il avait très peur. Le druide voulait lui ôter la parole et, si on lui coupait la langue, comment pourrait-il encore faire savoir qu'il n'était pas un sanglier mais un petit garçon ?

La nuit venue, le druide arriva dans l'appentis avec un long couteau très affilé dont la lame jeta un éclair de lumière de lune. Corentin fut debout en un instant, il grogna, frappa du sabot, baissa la tête et s'apprêta à charger.

— Eh, la sale bête ! se plaignit le druide. C'est qu'elle mordrait !

Il referma vivement la porte et ne tenta plus rien cette nuit-là. Le lendemain, ils partirent chercher des truffes comme d'habitude.

— Est-ce que nous ne sommes pas allés par là, hier ? demanda le druide.

Corentin ne répondit pas, il continua en trottinant.

— Réponds-moi, vieille carne, dit le druide en frappant l'échine de Corentin.

— Grouiinkk ! répondit Corentin.

— Hein ?... Quoi ?... Que dis-tu ?

— Grouiinkk.

— Grouiinkk ?

— Grouiinkk !

Le druide se gratta l'oreille.

— Tu parles comme un cochon, je n'y comprends rien.

— Gronk ! Gronk !

— Est-ce qu'un charme aurait cessé d'agir ? Tu n'es plus qu'un sanglier comme un autre ?... Peut-être n'en a-t-il jamais été autrement, d'ailleurs. Un compère jaloux a dû vouloir se moquer de moi ; il m'aura jeté un sort. Allons, c'est aussi bien comme ça !

Et il se mit à rire très fort aux quatre échos de la forêt.

— Qu'y a-t-il donc de si drôle ? demanda une petite voix de crécelle.

— C'est à cause de ce petit garçon ! dit le druide en essuyant une larme avec la pointe de sa barbe.

— Je ne vois qu'un ragot très ordinaire !

La voix se fit entendre plus nettement, elle sortait de sous un bouquet de fougères et c'était celle d'une naine au visage fripé comme une vieille pomme. Elle faisait la sieste, appuyée sur le flanc d'un chien jaune pas bien gros mais pourtant deux fois plus grand qu'elle.

— Je parle de ce sanglier, dit le druide. Jusqu'à hier, il se faisait passer pour un enfant perdu. Mais maintenant, il ne parle plus ; et ça n'est qu'un sanglier ordinaire, en effet. Pourtant, grand chasseur de pommes noires !

— Pfftt ! Le meilleur chasseur, c'est mon chien jaune ! persifla la naine en se levant et en secouant ses jupes. (Elle en avait soixante-dix-sept autour de la taille, et peut-être même plus ! Néanmoins, elle tenait beaucoup à ses soixante-dix-sept jupes et elle les arrangea soigneusement du plat de la main.) Si tu veux, faisons un concours, dit-elle.

— D'accord, accepta le druide.

— Celui qui gagne aura le droit de prendre à l'autre ce qu'il voudra bien lui prendre.

— Entendu là-dessus ! dit le druide.

Ils se mirent à chercher des truffes. Le chien jaune signalait ses trouvailles par des jappements joyeux et le druide, furieux, redoublait de coups de manche de faucille sur le dos de Corentin, qui ne trouvait plus rien et se contentait de glapir et grogner de la façon la plus douloureuse et la plus pitoyable qui soit.

Au coucher du soleil, le chien jaune avait déterré une montagne de truffes. Et Corentin, rien du tout. Le druide, écœuré, n'avait même plus la force de le frapper.

— Ce sanglier ne sait plus rien faire ! gémissait le druide. Hier, il parlait comme un moulin et trouvait des truffes en abondance. Maintenant, il n'est bon qu'à finir en terrine !

— J'ai gagné le concours, dit la naine.

— Eh bien, que veux-tu ? demanda le druide.

— Je prends le ragot.

— Lui ? s'étonna le druide, déjà ravi de s'en tirer à si bon compte. Mais il ne vaut plus rien, j'te dis !... Sauf si tu aimes la terrine de sanglier.

— Il vaut bien ce qu'il vaut ! répliqua la naine.

Et elle passa un ruban autour du cou de Corentin et l'entraîna dans la forêt la plus profonde, là où les branches sont si basses et si serrées que nul ne peut y pénétrer (sauf les nains, les sangliers et les chiens jaunes).

Ils arrivèrent à une minuscule cabane où la naine tenait son campement. La petite femme alluma un feu, elle fit chauffer l'eau et se mit à laver des terrines et des bocaux.

— Pour tout l'hiver, me voilà servie, chantonna-t-elle en s'affairant. Et pour le printemps et l'été qui suit. Et jusqu'à l'automne si point trop gourmande ne suis.

— Eh là ! grogna Corentin. Vous n'allez pas, vous aussi, vouloir me manger ?

— Mais si, mais si !

— Je ne suis pas un sanglier, je suis un petit garçon !

— J'adore les petits garçons aux oignons, c'est mon péché mignon, ils sont particulièrement rares en cette saison !... J'ai eu bien de la chance et du plaisir à te trouver, même déguisé en sanglier !

— Oh non ! désespéra Corentin. Tout ça à cause de ce fichu buffet en rideux !

De saisissement, la naine laissa tomber une marmite d'eau bouillante, qui éclaboussa le chien jaune — lequel en devint rouge comme une écrevisse. (Il lui poussa des pinces et il partit en claudiquant à la recherche d'un ruisseau.)

— Quoi ? Un buffet Henri II ? Où ça ? cria-t-elle avec la plus vive excitation. J'ai toujours rêvé d'un buffet Henri II, mais, par ici, il est encore trop tôt dans l'Histoire pour qu'on en fabrique.

— C'est chez mon oncle Edmond, dit Corentin. Il est en rideux massif, vous savez ?

— Misère ! Il me le faut !... Je te l'échange contre ta vie sauve !

— C'est qu'il n'est pas à moi et puis, c'est loin d'ici, je ne sais même pas comment retourner là-bas.

— Où ça ?

— En banlieue... Mais c'est bien distribué, il y a le R.E.R... Seulement, de quel côté ?

Corentin regarda tout autour l'épaisse forêt obscure.

— Ça ne peut être que par en haut, dit la naine en braquant un doigt vers le ciel. Alors, allons-y !

Elle attrapa le ruban de Corentin d'une main et dégrafa sa première jupe de l'autre. Aussitôt, elle doubla de taille et Corentin se sentit comme aspiré. Hop ! une autre jupe voltigea et ils doublèrent encore. Puis une autre, et encore, et encore, et chaque fois qu'une jupe s'en allait, les nuages se rapprochaient. La naine était devenue géante et Corentin était gros comme un pou dans le creux de sa main. La naine l'installa donc au bout d'un de ses cheveux et Corentin ferma les

yeux car tout allait si vite qu'il ne voyait plus rien, de toute façon, et avait assez mal au cœur. Les soixante-dix-sept jupes volèrent aux quatre coins de l'univers et du temps. Et, à la fin, Corentin se retrouva assis dans le grenier d'Oncle Edmond.

Il s'en aperçut à cause du silence et de la poussière. D'abord, il se palpa et constata qu'il n'était plus un sanglier mais un petit garçon. Alors, il ouvrit les yeux.

C'était bien le grenier d'Oncle Edmond, en effet, avec tout son fatras soigneusement rangé, mais une seule chose y manquait et pas la moindre : le buffet en rideux ! La naine

l'avait emporté avec elle, en échange de la vie de Corentin, comme elle avait dit. À la place du buffet, un long rectangle sans poussière témoignait de l'accomplissement de ce pacte.

— Oh la la ! Comment expliquer ça à Oncle Edmond ? Son buffet en rideux massif a disparu ! se lamenta notre ami.

Il referma le grenier, dévala l'escalier et alla remettre la clé dans la boîte à sel.

Le soir, après dîner, Oncle Edmond se leva, il ramassa une pile de journaux et marmonna :

— Hon ! hon ! Je vais ranger tout ça au grenier.

Il se dirigea tranquillement vers l'escalier, en regardant malicieusement Corentin du coin de l'œil. Corentin, comme pétrifié, ne détourna pas son regard de la télévision, qui diffusait pourtant un reportage sur les variations mondiales du taux d'escompte bancaire auquel Corentin ne comprenait pas un mot.

— J'ai dit, je monte ranger ça au grenier, hon ! hon ! insista l'oncle étonné, et peut-être même déçu, de ne plus voir son neveu le suivre aussitôt. Mais il pensa que Corentin grandissait et que ces choses-là ne devaient plus l'intéresser.

Il monta l'escalier en sifflotant, tandis que Corentin serrait les dents en s'attendant au pire, c'est-à-dire un cri de surprise, puis de la colère, puis de sérieuses demandes d'explications. Mais, à sa grande surprise, Oncle Edmond redescendit bientôt, toujours en sifflotant, les bras chargés d'autres vieux journaux à relire. Il s'assit dans son fauteuil préféré, bourra sa pipe et l'alluma.

Cette nuit-là, Corentin dormit plutôt mal. Il fit des rêves pénibles dont le principal avait pour héros un buffet volant vêtu de nombreuses jupes surchargées de terrines de sanglier et qui avait mal au cœur.

Le lendemain matin, profitant d'une nouvelle absence de ses parents adoptifs, Corentin alla vite prendre la clé dans la boîte à sel. Il monta dans le grenier et ouvrit la porte en tremblant. Tout de suite, il s'aperçut que le buffet était à sa place, il en était sûr d'avance, il ne pouvait en être autrement, sinon pourquoi Oncle Edmond n'aurait-il rien dit ?

« J'ai dû rêver, se dit Corentin. Ce n'était qu'un jeu. »

Le sanglier était toujours là dans le bois sculpté, poursuivi par les chiens, puis poignardé par le chasseur. Et Corentin s'assit une fois encore dans la poussière pour contempler les deux scènes fascinantes. Il devinait derrière elles un secret dont il n'avait fait qu'effleurer les mystères. Il suffisait de poser la main sur le museau du sanglier pour que… Mais il suffisait aussi de ne rien faire ! Le buffet resterait à sa place dans le grenier et Corentin, assis devant, n'irait pas s'exposer à mille dangers.

Corentin avança une main vers le deuxième panneau. Son cœur frappait fort, comme à chaque fois qu'il faisait toutes ces

choses défendues. Il hésita encore puis, fermement, attrapa le groin du sanglier mis à mort. Aussitôt, il ressentit la morsure des chiens qui le tenaient aux cuisses et au ventre, il retrouva son odeur de fauve et vit étinceler le coutelas du sacrificateur. Des trompes de chasse gonflées de bonheur sonnaient l'hallali.

— Pitié ! Ne me tue pas ! cria Corentin. Épargne ma vie et je ne serai pas ingrat.

Le chasseur ébahi arrêta son geste au moment où la dague allait percer le cœur de Corentin.

— Par saint Hubert ! Que je sois damné ! Un sanglier parlant !... Qui es-tu donc, ragot ?

— Je m'appelle Corentin, dit Corentin.

Le chasseur s'agenouilla, enleva son chapeau à plumes et ordonna aux chiens de se tenir à l'écart.

— Bon saint Corentin, pardonnez mes péchés !

Corentin faillit dire qu'il n'était pas un saint, mais un petit garçon habitant la banlieue, non loin du R.E.R. Seulement, la leçon du druide n'était pas oubliée : il est bon de savoir tenir sa langue et de ne pas montrer tous ses talents. Mieux valait passer pour un petit saint que risquer une fois encore de finir en terrine.

— Relevez-vous, mon pauvre ami, dit Corentin de sa plus belle voix de saint sanglier.

Le chasseur se releva, il rangea son coutelas dans l'étui de sa ceinture, et attacha ses chiens.

— Miséricordieux saint Corentin, mon beau sire, je n'aurai qu'un seul vœu : donnez-moi l'arête de votre poisson ! Alors, je vous promets de ne plus manger de viande de sanglier, ni d'aucune sorte. Le poisson sanctifié sera ma seule nourriture et je songerai à chaque instant au salut de mon âme.

En écoutant ce discours inattendu, Corentin se serait bien gratté la tête avec incertitude, comme avait fait le druide quand on lui parlait de choses qu'il ne comprenait pas. Mais il est pratiquement impossible à un sanglier de se gratter la tête avec incertitude.

— Mais de quoi parlez-vous, mon brave ? demanda Corentin avec application.

— De cette arête miraculeuse, voyons ! Celle que vous jetez chaque jour dans la fontaine de Cornouaille, après votre repas. Et, chaque matin, un beau poisson d'argent revient nager jusque dans votre main, histoire d'être mangé à nouveau par vous, ô doux saint Corentin !

— Mais qui vous fait croire que je suis ce Corentin-là ?

— Voyons ! Je chasse en forêt de Saint-Corentin, je réduis un ragot aux abois, il me parle et me dit s'appeler Corentin ! À qui donc voudriez-vous que je songe ?... Un sanglier qui parle ! Si tu n'es pas le bon ermite de la forêt, tu n'es qu'une sale bête du diable que j'aurai plaisir à saigner !

Et, disant cela, le chasseur mit la main à son couteau. Les chiens, aussitôt, se mirent à hurler en tirant sur leurs laisses.

Corentin prit du recul, dos au bois, pour se battre encore, s'il le fallait. Mais dans son cœur naissait une étrange douceur. Car, derrière les paroles du chasseur, il entendit une voix, qui était celle de sa mère morte.

Et il comprit et se souvint que maman lui avait conté autrefois cette légende oubliée. Et il sentit combien elle était proche de lui, dans ce pays d'au-delà où il vagabondait sans être sûr du retour.

Mais il ne put rien dire et des larmes tombèrent de ses yeux. De belles grosses larmes d'argent, qui ne furent d'abord que quelques gouttes, puis une flaque, bientôt une source ; et pour finir, une fontaine cristalline où s'en vint naviguer un joli poisson calme, couleur de larmes.

— Prends-le ! dit Corentin. Tu as sauvé ma vie, je te dois mon chagrin.

— Qu'il soit notre force à tous ! répondit le chasseur.

Il se saisit du poisson et entraîna ses chiens hors de la forêt. Corentin but ses propres larmes à la fontaine et il vit son visage de

petit garçon réapparaître dans le miroir de l'eau calme où ne nageait plus aucun poisson. Et, c'en était fini aussi du sanglier pourchassé, du ragot chasseur de truffes.

— Tu ne manques décidément pas de talent ! s'écria la voix de crécelle de la naine.

À son habitude, elle lézardait sous les fougères, en compagnie d'une écrevisse bien vivante, mais rouge comme si elle avait bouilli.

Sans réfléchir, Corentin prit l'écrevisse par le ruban qui la tenait attachée et la jeta dans la fontaine. Cela fit un énorme plouf et beaucoup d'éclaboussures, sans commune mesure avec ce qu'on était en droit d'attendre d'une vulgaire écrevisse fluviatile.

Après quelques bouillonnements joyeux, le chien jaune ressortit de la fontaine en s'ébrouant pour s'essorer, projetant de l'eau de tous côtés.

La naine poussa des lamentations aiguës, criant qu'on allait lui mouiller au moins trente-trois de ses soixante-dix-sept jupons.

— Et mon buffet en rideux massif ? demanda Corentin en riant. Qu'est-il donc arrivé ?

— Il n'en faisait qu'à sa tête ! répondit la naine. D'abord, il a refusé de rapetisser pour entrer dans ma cabane — malgré toutes les formules magiques. Alors, j'ai décidé de l'utiliser comme ensemble résidentiel... Habiter dans un buffet Henri II, ça ne manque pas de classe, non ? Les terrines de sanglier au rez-de-chaussée et moi à l'étage, dans le vaisselier, avec une galerie à balustrade pour me promener... Quel beau rêve ! Malheureusement, ce foutu buffet s'est servi de mes jupes pour s'envoler jouer à l'avion voltigeur ! Loopings, feuilles mortes, tonneaux, pirouettes, vrilles… Il m'a tout fait !… J'avais si mal au cœur que je l'ai renvoyé chez toi, là où est sa vraie place.

— Merci, dit Corentin, ça m'aura évité des ennuis… J'aimerais offrir quelque chose en échange.

— Oh, c'est déjà fait ! Tu m'as offert une bonne leçon… devenue proverbe en nos forêts :

Aux petits cabanons merdeux
Point de buffet Henri II

Et puis, grâce à toi, j'ai rencontré le druide et… (elle se mit à rosir, puis à rougir, comme l'écrevisse de tout à l'heure)… nous allons nous marier !

— Félicitations et tous mes vœux, bafouilla Corentin avec perplexité.

— Oui, je sais, il y a un léger problème. Le druide est long et maigre comme un hiver sans terrine de san-

glier et moi je suis une adorable petite poupée… Mais je lui prépare une potion rapetissante à ma façon dont il me dira des nouvelles !

— Hum ! Attention qu'il ne vienne pas de son côté avec un baume amincissant et des hormones de croissance.

— Des eaux mornes ?… Le fourbe, il en serait capable ! Je vais te lui préparer quelque chose ; il ne s'en remettra pas de sitôt !

Et, oubliant ses jupes trempées, la naine se mit à chercher sa poudre de crapelettes et sa confiture de limaçons, en marmonnant d'incohérentes formules magiques.

— Bon… ben… c'est pas tout, mais faut que je rentre ! dit Corentin. Si vous pouviez m'aider un peu ?

— Va tout droit jusqu'au supermarché puis, arrivé au R.E.R., suis la voie jusqu'au dépôt de traverses, ensuite…

— Je sais ! interrompit Corentin. On saute par-dessus les rails et on longe les potagers en direction de l'échangeur d'autoroute… oh !… mais comment savez-vous tout ça, vous ?

— J'ai fait un survol de nuit avec le buffet. J'ai le sens topographique et une mémoire d'éléphant. Allez, file, petit ! On t'attend pour la soupe.

Corentin regarda dans la direction indiquée par le doigt boudiné de la naine.

Instantanément, la forêt s'effaça, la nuit fut là toute seule, et la banlieue papillonnait de ses lumières de mauves et de bleuets. Un arc mandarine marquait l'horizon de l'autoroute.

— Adieu ! murmura Corentin.

Et son cœur se froissa. Il quittait la voix de sa mère et le pays de la légende oubliée. Pourtant, il se devina plus fort et plus léger. Il n'y aurait plus ce poisson de larmes d'argent enfoui en lui, dans le secret de bois sculpté d'un buffet *en rideux massif*.

Corentin marcha d'un pas ferme jusqu'à la maison. Oncle Edmond ouvrit la porte. Il tenait un paquet de journaux sous le bras et s'apprêtait à monter au grenier.

— Qu'est-ce que c'est que ça ? demanda-t-il en désignant, d'un mouvement de pipe, la nuit derrière Corentin.

Corentin se retourna : c'était le chien jaune.

— Tu es là, toi ! Comment as-tu fait pour arriver ici ? demanda Corentin avec surprise.

— Pardi, ce corniaud t'aura suivi ! Tu as dû le gaver de caresses et de sucreries, expliqua Oncle Edmond sans deviner malice.

Le chien reconnaissant se frotta aux jambes de Corentin. Il tenait dans sa gueule la clé du grenier.

— Bon sang ! explosa l'oncle Edmond. Tu aurais pu trouver autre chose à lui lancer pour jouer à *vas-y-rattrape* ! Je m'énerve depuis cent ans à chercher cette clé, qui aurait dû se trouver dans la boîte à sel !!!

Tatie Jeanne arriva avec la soupière.

— C'est à cette heure-ci qu'on rentre ?!... Et cette bestiole ?

— C'est mon chien, dit Corentin.

— Mon Dieu, un chien jaune ! Il ne nous manquait plus que ça ! maugréa Tatie Jeanne.

Mais elle le laissa quand même entrer dans la maison, et lui donna de la soupe au lait avec du pain cassé.

BÔFBEURK !

Un beau matin, Corentin s'éveilla après avoir volé toute la nuit dans ses rêves. Il s'en trouva reposé et tout léger, seulement déçu de réaliser une fois encore que ce n'était qu'un songe. Il déjeuna en savourant ces agréables souvenirs de la nuit, avant que le jour naissant ne les efface à jamais.

— Mon pauvre Corentin, tu m'as l'air de dormir debout, remarqua Tatie Jeanne en servant le chocolat fumant.

— Complètement perdu dans ses rêves, hon, hon ! marmonna Oncle Edmond.

Corentin avala ses tartines, il prit son cartable, serra son cache-nez et partit pour l'école. C'était l'hiver, il faisait froid, la nuit d'encre bleue rendait le groupe scolaire Clodomir-Lehideux encore plus lointain.

— Qu'est-ce que tu penses de tout ça ? demanda Corentin au chien jaune.

Le chien jaune l'avait accompagné, comme chaque matin, jusqu'au bout de la pelouse puis, après une hésitation, jusqu'à mi-chemin de la rue creuse. Le chien jaune était un chien magique qui avait l'air de se foutre de tout et ne disait jamais rien, contrairement à la plupart des chiens magiques. Les copains de Corentin le trouvaient stupide, et pas magique du tout, ils l'avaient surnommé « Rantanplan ».

Corentin n'attendit pas de réponse à sa question qui n'en était pas vraiment une, puisque, de toute façon, il n'y aurait pas de réponse. Il traversa le carrefour et s'étonna de ne pas voir Clotilde. Normalement, c'était là qu'elle l'attendait, sous la lumière acide du réverbère. Car elle avait décidé de ne plus le retrouver comme avant, en sortant de la maison, près des barrières de leurs jardins. Elle disait que ça faisait bébé de partir comme ça, main dans la main.

— Tu vois, dit Corentin. Elle n'est plus là. Elle m'abandonne.

Et le chien jaune regarda au loin, très loin, bien au-delà du R.E.R., l'ombre d'un lapin sauvage qui gambadait dans sa mémoire.

— Bôf ! Beurk ! soupira Corentin. Tu t'en fous, toi aussi !... Il y a des jours où j'aimerais avoir des ailes pour de bon, et m'envoler très loin, jusqu'au bout du monde !

— Ouaoua ! dit le chien jaune. Qu'il soit fait selon ton désir.

— Ça alors ?!... Tu parles ? Je le savais bien que t'étais un chien magique.

À l'instant même, une forte rafale de vent bouscula Corentin dans le dos, le poussant à toute vitesse vers le fond de la rue creuse. Corentin ne s'occupait que de ses jambes, essayant de courir plus vite que ses pieds, pour ne pas trébucher, ne pas tomber. Il aurait voulu freiner, s'arrêter, mais c'était impossible : le vent avait la force d'un Boeing, et des hurlements de réacteurs. Corentin comprit qu'il allait s'écraser sur le mur de la station-service, il ouvrit les bras et ferma les yeux.

C'est alors qu'il décolla.

Le vent l'enroula comme une vague, Corentin sentit le vide sous son ventre. Lorsqu'il rouvrit les yeux, il avait déjà passé le toit de la station-service. Les voitures bien rangées sur la terrasse étaient petites comme des jouets.

Corentin agita les bras et il prit encore un peu d'altitude. Le vent s'était calmé. Corentin n'éprouvait en aucune façon le bonheur et la légèreté connus dans ses rêves. Il avait peur. Il se trouvait lourd et malhabile, incapable de voler droit, et bon à s'écraser au sol à la première erreur de pilotage.

— Doucement, calmement. Souples, tes mouvements ! cria le chien jaune. Comme à la piscine !

— Je n'ai jamais volé à la piscine, mais seulement nagé ! tenta de plaisanter Corentin.

Mais sa voix était pleine de fêlures où s'infiltrait la peur.

— C'est pareil, dit le chien jaune. Sens comme l'air fait un tapis sous ton corps, il te porte, mets-toi en appui, tends les bras et les jambes, sans raideur, serre les doigts !

Le chien jaune essayait de montrer les bons mouvements mais c'était avec sa queue et ses oreilles qu'il volait, tout ça bougeant dans tous les sens. Et, comme d'habitude, il avançait en écrevisse.

Corentin s'appliqua du mieux possible, il se stabilisa, tenta un virage, puis un autre et, pour finir, un vol plané très moelleux et glissant.

— C'est bien, encouragea le chien jaune. Cette fois, tu es sur la bonne voie.

— Supergénial !... Où on va ?

— Au bout du monde, je crois ?

Mais, à cet instant, Corentin aperçut d'en haut ses copains qui jouaient dans la cour de récréation.

— J'aimerais un peu qu'ils voient ça, dit-il en risquant une descente en piqué vers l'école.

Le chien jaune suivit tant bien que mal. Sa queue tournoyait en hélicoptère et ses oreilles battaient l'air avec lenteur, on aurait dit des nageoires de tortue, tout marchait à la godille.

Corentin tomba comme une pierre, en hurlant à plein bec afin d'épater au mieux ses camarades. Il voulait qu'ils lèvent la tête au ciel et le voient arriver à grande vitesse, qu'ils prennent peur et s'aplatissent au sol en hurlant. Lui, il se redresserait au dernier moment, et les ébourifferait d'un gros rire et d'un fameux courant d'air. On n'avait pas fini d'en parler à la récré !

Mais, il avait beau pousser des cris stridents, personne ne releva le nez, il arriva au centre de la cour sans être aperçu par quiconque et, quand il redressa pour remonter en tournoyant entre les murs, le courant d'air secoua quelques tignasses et fit vaciller quelques bonnets... mais ce n'était jamais qu'un courant d'air, n'est-ce pas ?

Corentin s'approcha du groupe de ses meilleurs copains — qui étaient en train de jouer à pierre-feuille-ciseaux — et il tourbillonna autour d'eux, les frôla de ses ailes, ébouriffa ses plumes, gonfla sa queue, mais rien n'y fit : on ne s'occupa pas de lui, on ne le remarqua pas.

Corentin, désemparé, alla se poser sur la corniche, à côté du buste de Clodomir Lehideux (Inspecteur d'Académie, 1837-1915).

— C'est pas drôle ! dit Corentin. Personne ne fait attention à moi. C'est comme si j'étais invisible.

— Mais tu *es* invisible ! confirma le chien jaune qui arrivait vaille que vaille. Imagine, si on nous voyait ! Il y aurait des crises nerveuses, des crises cardiaques, des internements et peut-être même des suicides. Ça ne manquerait pas d'imbéciles pour nous tirer dessus au fusil de chasse ou au lance-pierres... voire au lance-boulettes !... juste pour voir ce que nous sommes... après nous avoir tués. L'armée nous considérerait comme des ovnis ou des missiles camouflés et on nous enverrait des roquettes. Sans compter les oiseaux, qui détestent l'arrivée d'espèces nouvelles sur leur territoire et qui ne manqueraient pas de nous attaquer à coups de bec et de griffes ! Non, crois-moi, il vaut mieux être invisible quand on arrive à voler, ce que tout le monde souhaite mais que personne n'essaie vraiment.

— C'est que cela n'est point aisé, fit remarquer Clodomir Lehideux.

— Tiens, vous parlez, vous ? s'étonna Corentin.

La barbiche impériale de l'homme académique resta de marbre mais on pouvait y deviner un frémissement :

— Mon garçon, si ce corniaud pelé est capable de parler, en quoi le pionnier de l'instruction publique que je suis devrait-il en être réduit au silence ?... Me voici juché au fronton altier de cette modeste école, trop loin du préau branlant et de la cour populeuse pour pouvoir me mêler des conversations infantiles, mais, chaque fois que le vent porte, je n'en perds pas une miette, croyez-moi ! Ici, je n'ai causerie qu'avec les pigeons... À force, j'ai fini par comprendre leur rudimentaire et futile langage. Ce ne sont que des histoires de nids et de graines. Très lassant, je vous assure. C'est donc une grande satisfaction de vous rencontrer ! J'aimerais vous serrer la main, mais, comme vous le voyez, je n'ai plus le droit qu'à la partie supérieure de moi-même... Ce qui ne m'empêche pas d'avoir foutrement envie de me dégourdir les gambettes !

Le respectable buste souligna ces paroles d'un hoquet de rire grinçant, qui avait dû très certainement terroriser les écoliers du Second Empire.

— Je m'appelle Corentin, dit Corentin. Et voici le chien jaune... Donne la papatte !

Le chien jaune regarda au loin avec indifférence, du côté de ses vieux rêves de lapins. On l'avait traité de corniaud pelé ; en plus, ça n'était que la vérité ; il était donc terriblement vexé.

— Appelez-moi Clodomir, dit Lehideux. Il y a longtemps que j'ai renoncé aux convenances guindées. À l'automne, j'ai droit aux marrons... Cent points pour la barbiche, cinquante pour le lorgnon... en hiver, ce sont les boules de neige puis à la belle saison, les boulettes au lance-pierres... Si j'avais encore bras et jambes, imaginez l'avalanche de claques et pied-aux-fesses que j'aurais à redistribuer !... Me voilà bien marri de mes intransigeances passées et de mon goût des honneurs. Je suis devenu la tête de Turc d'une cour de récréation... En banlieue, qui plus est !

— Elle n'est pas si mal notre banlieue, vue d'ici.

— Si vous l'aviez connue vers 1850 !... Ce n'était que prairies et bosquets, cultures maraîchères et basses-cours... délicieuse pastorale !... Maintenant, ce ne sont que... parkingues et hachélèmes !

— Et vous êtes là depuis 1850 ?!

— Non ! Cette école fut bâtie en 1856. On a pensé honorer mon œuvre en donnant mon nom à cette construction déjà vétuste !

— Ouais, Clodo-le-hideux, comme on vous appelle !

Clodomir soupira tristement entre ses lèvres de pierre froide.

— Et dire que ce destin m'est promis pour l'éternité tout entière !

— Bon, grogna le chien jaune. On y va, au bout du monde ?... Si on traîne encore, ça sera fermé quand on arrivera.

— Emmenez-moi, je vous en prie, supplia Clodomir d'une voix larmoyante. J'aurais plaisir à naviguer de conserve avec vous.

— C'est qu'il faut voler, dit le chien jaune.

— Comment doit-on s'y prendre ?

— C'est que... je ne sais pas exactement... Il y a un mot magique... C'est le même qui permet aux chiens de parler et aux enfants de voler... Mais vous n'êtes plus un enfant.

— Oh que si ! J'ai eu toutes ces années pour apprendre à le redevenir. Vous voyez : j'ai le cœur gonflé d'espérances et l'envie immense de m'envoler !

— Admettons, dit le chien jaune. Le problème est que je ne connais pas le mot... Il change tout le temps et n'agit que momentanément. Il y a comme qui dirait une date de fraîcheur.

— Comme pour les yaourts ? demanda Corentin.

— Si on veut. C'est un mot qui vient comme ça dans la conversation, il passe, et hop !... le vent souffle et on s'envole.

— Formidable !... Alors, j'ai dit tout à l'heure le mot magique ?

— Bien sûr. Et plus on connaît de mots, plus on a de chances de s'envoler.

La barbiche pédagogique de Clodomir s'ébroua furieusement, projetant au passage quelques crottes sèches de pigeon.

— Vous, le chien, cessez un peu de raconter des sornettes à ce malheureux garçon ! L'apprentissage du vocabulaire n'est pas fait pour conduire à des rêveries imaginaires ! (Il se tourna vers Corentin mais son cou de marbre était bien raide.) Mon jeune ami, il faut apprendre son vocabulaire pour avoir de bonnes notes !

— Ça sert à quoi, les bonnes notes ?

— À ne pas être puni quand on en a eu de mauvaises !

— Alors, je préfère connaître plein de mots comme dit le chien jaune, pour m'envoler dans l'imaginaire.

— Hé, hé ! dit le chien jaune. Derrière chaque mot se cache un secret !

Clodomir Lehideux loucha derrière son lorgnon.

— Vous avez raison. Ma parole, je redeviens une stupide grande personne !... Trouvez-moi ce mot magique et envolons-nous sans attendre !

Corentin se gratta la tête et le chien jaune se gratta les puces (elles sautèrent dans la barbiche de Clodomir, mais mieux vaut ne pas insister là-dessus afin de ne vexer personne).

— Voyons, dit Corentin, qu'est-ce que je disais donc avant que le vent n'éclate ?... Je ne sais plus... Des mots sans importance...

— Il n'y a pas de mots sans importance, dit le chien jaune.

— Bôf ! Beurk !... Je ne retrouverai jamais le mot qu'il faut, c'est sûr.

— *Bôfbeurk* ? s'étonna Clodomir. Malgré l'immense étendue de mon champ lexical, me voici en présence circonspecte d'un phonème inconnu ! Cela a-t-il un sens, *Bôfbeurk* ?

À l'instant même, le vent enfla d'un coup et le buste de Clodomir Lehideux (1837-1915) s'éleva dans les airs.

— C'est ça ! cria triomphalement Corentin. C'est le mot magique !

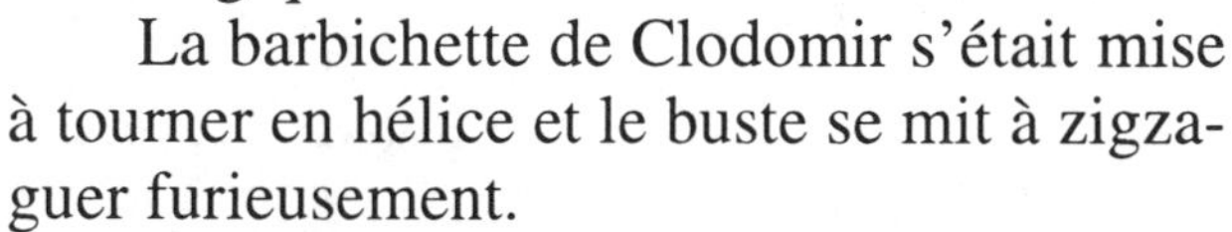

La barbichette de Clodomir s'était mise à tourner en hélice et le buste se mit à zigzaguer furieusement.

— Stabilisez-vous ! aboya le chien. Sortez vos rouflaquettes et laissez-les gonfler au vent.

— Cabot galeux ! Ne traitez pas mes superbes *favoris* de *rouflaquettes* ! Jules Ferry lui-même… 1832-1893… Ministre de l'Instruction publique… en fut jaloux. Et pourtant, il ne manquait pas de poil aux joues !

Les touffes de barbe se gonflèrent, peut-être de rage, et le buste de Clodomir Lehideux cessa de danser dans la tourmente. D'ailleurs, comme après l'envol de Corentin, le vent s'était déjà calmé.

— Ouaouh ! exulta Clodomir. C'est superextra !... Filons au bout du monde !

— Doucement ! dit le chien jaune. Vous savez à peine voler et... Voilà bien la jeunesse !

Corentin s'était lancé bravement dans les airs, en un vol plané impeccable, suivi par Clodomir, dont la barbiche brassait l'air avec un ronron obstiné de tondeuse à gazon.

Le chien jaune, sur un soupir, se jeta à son tour dans le vide, oreilles au vent et queue aux cieux.

C'est alors que deux autres aéronefs croisèrent leur route.

L'un avançait avec une tranquillité boudeuse et de doux battements d'indifférence. Quelque chose comme une cigogne blasée, aigrette bêcheuse, une petite grue de Numidie au regard filtrant ; c'était Clotilde ! Derrière, son chat roux moulinait des pattes frénétiquement, comme s'il était tombé à l'eau.

Corentin vira en bout d'aile pour venir se ranger à côté de son amie.

— Bah, ça alors ! Tu voles aussi ?

— Bôfbeurk ! C'est pas drôle si tout le monde y arrive, répondit Clotilde sur un ton snob.

Elle ne détourna même pas son regard de l'horizon pâle où la nuit reculait lentement. À ce moment, une escadrille rapide passa au-dessus d'eux avec des rires et des cris. C'étaient des élèves du groupe scolaire Cunégonde-de-Ladétresse (poétesse, 1846-1937) où le mot *bôfbeurk* était particulièrement à la mode ce matin-là. Filles et garçons voltigeaient à qui mieux mieux, en se frôlant, en se poussant, en s'éclaboussant de grands courants d'air. En bout de file, le visage de bronze joufflu de l'illustre Cunégonde tournicotait vaille que vaille, propulsé par ses boucles anglaises tournoyant en spirales.

— Très chère amie ! barytonna Clodomir. Vous voici donc de la partie ? Vous parvîntes vous aussi à vous échapper du mur austère où l'on vous avait enchâssée ?

— Ne m'en parlez pas ! répondit la poétesse exténuée. Ces odieux gamins m'en font voir de belles ! Je n'en puis plus d'essayer de les suivre.

— Dans ce cas, cheminez avec nous... Nous voici en route pour le bout du monde !

Les piailleurs du groupe scolaire Ladétresse repassèrent en rase-mottes, criant à pleine gorge :

— Ladétresse, poétesse, t'as du poil aux fesses !

Cunégonde haussa les épaules, ce qui reste encore possible pour un buste.

Un volatile particulièrement malpoli croassa :

— T'as du poil au Cu...négonde ! T'as du poil aux fesses dans ta détresse !

Puis, avec des rires idiots, tous s'éparpillèrent comme des moineaux.

— Douce amie, ce n'est pas une compagnie pour vous, insista Clodomir.

— En effet. J'accepte votre proposition, Clodomir. Vos amis m'ont l'air tout à fait convenables.

— Ils le sont... sauf ce chien jaune, bien sûr. Prenez garde aux puces !

Le chien jaune préféra faire celui qui n'avait rien entendu, tandis que le chat roux en profitait sournoisement pour venir ronronner en se frottant l'échine au pied des deux bustes.

— Le charmant animal ! Le délicat félin ! s'extasia Clodomir.

— J'aime autant le chien, dit la poétesse. C'est plus vif. Je suis une romantique vigoureuse. Une diane chasseresse !...

— Poil aux fesses ! murmura Corentin.

— Une intrépide guerrière !

— Poil au derrière ! ajouta Clotilde.

Corentin se tourna vers Clotilde.

— Ton chat roux parle aussi ?

— Le Charoux parle depuis toujours !... À moi, en tout cas. Mais ça dépend comment il est luné.

— Même sans mot magique ?

— Quel mot magique ?
— Ben, celui qui permet de voler.
— Il y a un mot pour voler ?
— *Bôfbeurk*.
— Pourquoi dis-tu ça ?
— C'est le mot, justement.
— Ah bon ? J'ignorais. Le Charoux aurait pu me mettre au courant, mais il fait la tête... Les chats n'aiment pas l'eau mais celui-là n'aime pas beaucoup voler non plus.
— C'est pourtant bien pratique pour attraper les oiseaux.
— En effet.

Et c'est ainsi que se poursuivit cette croisière en altitude, par un vol sans histoire agrémenté de conversations futiles mais plaisantes. Clodomir et Cunégonde avaient repris d'anciennes causeries poétiques et sentimentales interrompues depuis la fin du siècle dernier, et le chien jaune et le Charoux s'évitaient, avec cette indifférence affectueuse qui était de règle dans leurs habituels rapports de voisinage terrestre.

Peu avant midi, la fatigue et la faim se firent sentir, et nos aventuriers décidèrent de se poser. Ils ne voyaient plus le sol, caché sous les nuages.

— Tu sais vraiment où on va ? demanda Corentin. Le bout du monde, c'est vers l'est ?

— L'est ou l'ouest, quelle importance ? Puisque la terre est ronde.

— C'est idiot !... Tu veux dire qu'on reviendra à notre point de départ, de toute façon ?

— Ben oui !... C'est pas ça, le bout du monde ?

Corentin fit une moue, perplexe.

— Bôfbeurk ! se contenta-t-il de répondre, car il ne trouvait pas de réponse à cette question qui n'en était peut-être pas une.

Ils commencèrent à descendre. Les nuages, qui formaient jusque-là une mer calme, blanche et veloutée, devinrent gris et turbulents, effilochés, humides et froids. C'était comme un brouillard dans lequel ils se noyaient. Ils eurent sans doute très peur les uns les autres mais continuèrent leur plongée vers la terre, sans dire un mot. Le vent sifflait à leurs oreilles. Soudain, le sol arriva très vite, et ils atterrirent en fermant les yeux.

Il n'y eut ni choc ni culbute mais, au contraire, une sorte d'éveil très doux. Comme la fin d'un beau rêve.

— Corentin ! Tu es encore dans la lune, ma parole !

Corentin ouvrit les yeux. Il était allongé au pied d'un chêne et ses parents avaient fini d'installer le pique-nique sur la nappe à carreaux rouges et blancs.

— Vous n'êtes pas morts ? s'étonna Corentin.

Ses parents lui sourirent, mais ils ne répondirent pas.

Alors, Corentin comprit que son père et sa mère étaient bien morts, en effet, mais qu'il n'avait volé jusqu'ici que pour tenter de les revoir. Et, par bonheur, il les revoyait.

— Viens donc t'asseoir, dit Maman. Il y a du Coca bien frais.

Papa finissait de découper le poulet en gelée.

— La cuisse, fiston, comme d'habitude ?

Corentin avait très envie de pleurer, il avait peur, et il était heureux.

— Est-ce que je suis mort aussi ? demanda-t-il en avalant coup sur coup un morceau de poulet et un gobelet de Coca.

À nouveau, ses parents ne répondirent rien. Ils souriaient, et ce sourire faisait fondre la peur. Corentin vit que la campagne alentour était d'un joli vert, et pleine de fleurs qui sentaient l'espérance.

— Reviens quand tu veux, dit Maman.

— Nous pique-niquons souvent ici et nous parlons de toi, dit Papa.

— Nous te voyons grandir.

— Et tu deviens plus fort chaque jour.

— Je sais même voler ! dit Corentin avec enthousiasme.

Il ouvrit les bras, battit des ailes… et s'envola.

— Adieu ! dit Corentin. Il faut que j'aille à l'école. Je serais bien resté plus longtemps.

Maman était déjà toute petite, en bas, près du chêne.

— Tu vas être encore en retard ! cria-t-elle en agitant sa serviette à carreaux.

Et Papa regarda sa montre en hochant la tête et en faisant :

— Tss-tss-tsstt !

Corentin leur fit un dernier signe avant de remonter dans les nuages.

Quand le ciel réapparut, Clotilde volait devant lui. Il la rattrapa.

— J'ai pique-niqué avec mes parents, dit-il. Ils vont bien.

— Moi, j'ai cherché les miens, mais je ne les ai pas trouvés.

— Mais tes parents ne sont pas morts !

— Ils sont presque toujours absents, et je ne sais même pas leurs noms... quand ils étaient roi et reine... Je suis une princesse, n'oublie pas !

Corentin haussa les épaules :

— N'importe quoi !

— Si, si, je t'assure... Enfin, je le croyais... Remarque, j'ai bien trouvé le château... Un très beau château... Mais c'était un château vide...

— Évidemment, puisque vous habitez maintenant le pavillon près du R.E.R. !

— Tu as raison. Il faut rentrer chez nous. Avec un peu de chance, nous arriverons à temps pour la récré de dix heures… Qu'est-ce qu'on va prendre !

— Et les autres, on les attend ?

Ils tournoyèrent un instant, observant tous les points de la rose des vents. Il n'y avait personne.

— Allons voir, décida Clotilde.

Ils piquèrent à nouveau dans les nuages et se posèrent bientôt près d'un ruisseau clair comme le cristal et chantant comme la pluie.

Sur l'autre rive, Clodomir et Cunégonde se promenaient enlacés sous une ombrelle. Cunégonde portait une superbe robe à cerceaux en satin parme et organdi tourterelle. Clodomir était fièrement cambré dans un pantalon à sous-pieds couleur chameau, il portait sa redingote sur le bras.

— Mais vous n'êtes plus des statues ! crièrent Clotilde et Corentin.

— Cet emploi ne nous convenait guère, répondit joyeusement Clodomir Lehideux.

— Nous avons décidé de renoncer à notre biographie officielle et de réécrire notre destinée autrement, expliqua Cunégonde de Ladétresse… Vous savez, nous nous sommes connus vers la fin du Second Empire, et la guerre de 1870 nous a séparés. Après, tous nos efforts n'ont été que d'obtenir ces bustes ridicules au pignon de ces groupes scolaires de banlieue !… Résultat : plus personne ne lit mes vers, et les ordonnances de Clodomir sur l'instruction publique ont toutes été abrogées et oubliées. Alors, nous restons ici, c'est décidé !

Ils semblaient si heureux que Clotilde et Corentin voulurent traverser pour les rejoindre dans la prairie.

— N'en faites rien ! cria Clodomir. Cette eau limpide et gazouillante a l'amertume du passé. Vous pourriez y tomber comme nous et ne plus revenir. Il ne faut pas nager à contre-courant, il ne faut pas voler contre le vent.

— Oui, oui ! chantonna Cunégonde. Il faut nager contre le courant ! Il faut voler à contre-vent !

— Nous étions à la recherche de nos parents, dit Corentin.

— Renoncez ! hurla Clodomir. L'homme n'est riche que de ses renoncements.

— Ne renoncez jamais ! chanta Cunégonde en écho. L'homme n'est riche que de ses conquêtes sur lui-même.

— T'y comprends quelque chose ? demanda Clotilde.

— Bôfbeurk ! répondit Corentin.

Mais tout ce qui venait d'être dit s'était gravé dans son cœur.

À cet instant, le chien jaune et le chat roux arrivèrent en trottinant d'une façon satisfaite. Le chat roux tenait une souris dodue dans sa gueule et le chien jaune mordait à belles dents un os majestueux.

— Eux, au moins, ils ont trouvé ! dit Clotilde en riant.

— Allez, il faut partir, dit Corentin.

Il étendit les bras et… rien ne se passa.

Il agita furieusement les mains et les doigts, se contorsionna… et rien n'arriva.

— Bôfbeurk ! Bôfbeurk ! Bôfbeurk ! dit-il par trois fois.

Mais il ne décolla pas.

— L'ancien mot magique ne marche plus !… Eh, le chien jaune, tu connais le nouveau ?!

Le chien s'était couché pour ronger son os. À l'appel de son nom, il dressa l'oreille, pencha la tête et regarda Corentin avec des yeux à chasser les lapins.

— Ça y est ! On est foutus ! Il ne parle plus et le mot a changé !

— Essayons de trouver le nouveau, proposa Clotilde en fermant les yeux pour se concentrer.

— Mais ça peut être n'importe quel mot, se désespéra Corentin. Il y en a des milliers !

— Cacaboudin ! Phylloxéra ! Rhododendron ! tenta Clotilde.

— Prout de lapin ! Barbe à papa ! Salut les morpions ! essaya Corentin.

— Ornithorynque !
— Tas de fringues cradingues !
— Karatéka !
— Qu'as raté ton bac.
— Marabout !
— Bout d'ficelle... On n'y arrivera jamais, dit Corentin en crispant les paupières à se rentrer les yeux au fond de la tête.

À ce moment-là, la sonnerie de l'école lui fit ouvrir les yeux. Il se retrouva au bas de la rue creuse. Clotilde attendait Corentin devant la porte de l'école. Corentin dévala les derniers mètres qui les séparaient et ils entrèrent en courant.

Il y avait un attroupement dans la cour de récréation, au pied du mur principal.

— Qu'est-ce qui se passe ? demanda Corentin à ses copains.

Tous parlèrent à la fois, très excités.

— On a piqué le buste de Clodo-le-hideux !

— Paraît qu'au groupe Ladétresse, des vandales ont fait la même chose avec le bronze de la poétesse.

— Poil aux fesses !

— Les gendarmes vont venir nous interroger.

Une sueur froide coula dans le dos de Corentin, là où il sentait comme la cicatrice d'une ancienne paire d'ailes. Clotilde lui fit une petite moue pour le rassurer, lui dire que tout allait bien se passer.

Alors, le directeur frappa dans ses mains. Les élèves se mirent en rangs pour entrer dans les classes.

Et Clotilde et Corentin se demandèrent ce qu'ils allaient vraiment bien pouvoir raconter aux gendarmes.

LE ROI D'ARGENT

OU : COMMENT DEVIENT-ON GOBE-MOUCHES ?

Il était une fois un roi qui se prenait pour quelqu'un de très sérieux, puisqu'il gagnait beaucoup d'argent. On l'appelait le Roi d'Argent.

Son royaume n'était fait que de tours immenses et argentées où des milliers de chambres identiques enfermaient des ordinateurs et des téléphones. Derrière tous ces appareils, s'affairait un peuple soumis de serviteurs fébriles. Jour et nuit, ces gens parlaient et pianotaient, et l'argent du monde entier venait s'entasser dans les caisses du royaume.

Pourtant, ce pays ne fabriquait rien, ne créait rien, n'inventait rien ; on n'y transpirait jamais, sauf quand l'air conditionné tombait en panne.

Ce soir-là, fort tard, le roi rentra dans ses appartements privés. Et, comme chaque soir, il se prit la tête en gémissant :

— Quelle dure journée ! Quelle épouvantable journée !

Car, pour lui, les jours étaient épouvantablement durs, quoi qu'il advienne. Il y avait eu tous ces coups de téléphone, ces rendez-vous et ces réunions, et le Roi d'Argent considérait qu'il avait travaillé beaucoup puisqu'il avait parlé longtemps.

Alors, il sortit une calculette de la poche de son manteau de pourpre et d'hermine, et il totalisa ce qu'il avait gagné dans la journée :

— Quarante-douze billionards de trimillions de mégafrics, virgule treize-deux minipognons ?... Mais ce n'est pas mal du tout, ça, Ma Majesté !

Il tapa à nouveau les touches de sa machine avec l'index de son sceptre royal et exulta :

— Ainsi donc, je peux m'offrir septante-nonante-sept cent mille billionards de bif-tecks-frites, et un œuf coque ?!... Dommage que je n'ai plus guère d'appétit.

Et il sonna ses serviteurs pour qu'on lui apporte son œuf à la coque, qu'il prit avec beaucoup de cachets, de gouttes et de suppositoires, car il souffrait de trosérieustérol et d'argentus du friquencarte.

Ensuite, il s'offrit une petite distraction de nouvelles additions et réalisa qu'il pouvait s'acheter pratiquement tous les matelas qui furent fabriqués sur terre depuis la nuit des temps, avec leurs housses, leurs draps et leurs oreillers. Malheureusement, il n'avait besoin que d'un seul lit pour dormir, et il possédait déjà le plus somptueux baldaquin qu'on ait jamais vu. Il avala des somnifères et se coucha de méchante humeur. Il ne dormit pas.

Au cœur de la nuit, tandis qu'il réfléchissait nerveusement à la meilleure façon de gagner un peu plus d'argent le lendemain, un bruit étrange brisa net ses calculs.

— Mais quelqu'un dort par ici ! C'est un scandale ! Je discerne parfaitement le doux ronflement d'un sommeil réparateur, le souffle harmonieux d'une respiration détendue. Quelle horreur ! Qui se permet de dormir paisiblement, et sans doute de rêver agréablement, au lieu de réfléchir à la meilleure façon de gagner de l'argent ?... C'est un crime de lèse-majesté ! À moi, la garde !

Les hallebardiers royaux s'empressèrent de fouiller la tour pour découvrir le dormeur. Mais chacun était à son poste, un téléphone sur chaque oreille et le regard fixé sur trois écrans d'ordinateurs à la fois — ce qui explique pourquoi les sujets de ce royaume ont tous les yeux qui louchent.

— Ça vient peut-être de la cité-dortoir ? suggéra le premier chambellan.

— Êtes-vous sûr de n'avoir pas entendu passer le R.E.R. ? demanda le maître des attelages royaux. La banlieue est si proche...

— Non, non et non ! trépigna le Roi d'Argent. C'est bien ici que quelqu'un se permet de dormir. Je veux qu'on le trouve, qu'on l'étripe, qu'on l'écrabouille, qu'on l'écartèle et qu'on le hache menu comme chair à pâté... Ensuite, mes avocats se chargeront de le traîner devant les tribunaux et je vous promets qu'il aura une bonne amende !

Mais comme on n'avait rien trouvé, les recherches furent abandonnées. Le roi retourna se coucher. Il prit cette fois une double dose de somnifères et se boucha les oreilles avec de la cire. Mais à peine avait-il posé sa nuque sur le mol oreiller que le roi se dressa en hurlant :

— Je l'entends ! Il dort, le salopard ! Il fait de beaux rêves !

Les recherches reprirent. On appela en renfort les mousquetaires du cardinal, la police municipale et le service de dératisation.

Mais on ne trouva rien.

Le roi se recoucha après avoir englouti un bocal de somnifères et s'être ficelé son mol oreiller autour des oreilles avec ses bretelles.

Mais, avant même d'avoir allongé son corps exténué sur la couche, il se redressa en braillant :

— C'est insupportable ! Le bruit de ce sommeil léger et heureux va me rendre fol !

Et il jeta contre le mur son oreiller mol.

Cette fois, le 7e de cavalerie vint prêter main forte, ainsi que les sapeurs-pompiers et l'amicale des radiesthésistes insomniaques.

Et par un concours de circonstances trop long et inutile à décrire ici, on dénicha, au 1827e étage de la Tour Argentée, un vieil employé qui dormait béatement assis sur la cuvette des toilettes (qu'on croyait depuis longtemps hors d'usage). On traîna le malheureux devant le roi, et il se prosterna pour demander grâce.

— Tu seras roué vif, pendu haut et court, fusillé sévèrement ! vociféra sa majesté impitoyable. Ton treizième mois sera retenu, tu ne seras plus intéressé aux bénéfices, tes enfants, petits-enfants et arrière-petits-enfants seront privés d'arbre de Noël de l'entreprise !... À moins que tu n'avoues ton secret.

— Le secret, Majesté ? s'étonna le pauvre homme en tremblant.

— Comment peux-tu dormir si bien alors qu'il y a tant d'argent à gagner ?

— Je ne suis qu'un employé d'entretien, Votre Altesse. Je remets du papier dans les chiottes quand il n'y en a plus. Mon salaire est modeste.

— Et alors, tu ne sais pas que mon ancêtre Fédufric Ier a commencé comme palefrenier, récureur d'écurie modeste ?

— On apprend ça à l'école, Sire. C'était juste avant qu'il hérite de son oncle, celui des aciéries, et qu'il épouse la fille des laboratoires pharmaceutiques.

— Tais-toi, impie ! Fédufric le Grand ne dormait jamais… Et toi tu roupilles sous mon nez !

— C'est pour mieux rêver, Votre Majesté.

— Honte et scandale ! Un *rêveur*... ici ! Alors que c'est formellement interdit par la loi ancestrale et le règlement d'atelier. Tous les employés doivent être rigoureusement sélectionnés. J'exige un peuple *sérieux* et *positif* ! Tu n'es pas au niveau 3 : Performant, Efficace, Compétitif ?

— Bien sûr que oui, je suis un P.E.C. ! Comme tout le monde. Les non-compétitifs ont été jetés à la broyeuse-déchiqueteuse en même temps que les documents administratifs périmés.

— C'est la dure loi de la concurrence... Comment se fait-il que toi, un *positif*, tu en sois arrivé là ?

— C'est à cause de la sorcière !

— Saure-Çièrre ? s'étonna le roi, en s'efforçant de bien prononcer ce mot qu'il ne connaissait pas.

— Et aussi du dragon !

— Tra-ghon ?

Le Roi d'Argent regarda avec perplexité ses ministres et courtisans rameutés par le tapage. On échangea des moues dubitatives et des soupirs d'incertitude : nul ne savait ce que voulaient dire ces mots : sorcière, dragon.

— Une sorcière a des pouvoirs magiques, voyez-vous, tenta d'expliquer le vieil employé. Et un dragon, c'est comme qui dirait une sorte de grosse bestiole démodée, un peu préhistorique sur les bords, verte au-dessus et rose en dessous. Ça crache des flammes.

La stupéfaction fut plus grande encore. Alors, s'avança un vieillard à barbe et à cheveux d'argent. C'était le ministre des *Caves, Cabanons, Greniers et Bibliothèques, et autres lieux contaminés par l'Imaginaire.* Sa tâche consistait à découvrir les derniers bastions de résistance au Sérieux et à détruire impitoyablement tout ce qui ressemblait à de la fiction, du fantastique, de l'humour, du rêve, de l'histoire inventée. À force d'accomplir cette tâche méprisable de salubrité publique, il avait fini par en savoir long sur toutes ces choses interdites. Il vint chuchoter à l'oreille du roi, et un grand silence se fit. Le roi hocha sa tête couronnée par trois fois et dit :

— Ainsi donc, *sorcière* et *dragon* sont des fadaises inventées ? De ces sornettes infantiles qui n'existent pas... Mais toi, vieux P.E.C., tu parles à la sorcière et au dragon ?

Le vieil employé eut un sourire émerveillé.

— Sire ! ils me racontent de si belles histoires que je m'endors heureux comme un ange !

— Et où peut-on trouver la sorcière et le dragon ? demanda le roi d'une voix de perfide douceur.

— La sorcière habite dans le placard à balais du 36e étage, et le dragon a son antre dans la réserve à papier du service des photocopieuses... Il finira bien par y foutre le feu !

— Allons voir ça, immédiatement ! décréta le Roi d'Argent.

Un page apporta le heaume royal à détecteur infrarouge, un écuyer tendit la lance à visée laser ainsi que le bouclier d'argent aux armes de l'Empire des Finances, on aida sa majesté à se mettre en selle sur son destrier cybernétique entièrement régulé par ordinateur, et toute l'armée royale se mit en marche à travers les couloirs, en proclamant bien haut la guerre sainte contre l'imaginaire.

De sanglantes batailles se préparaient.

Chers amis,

Malheureusement pour l'auteur de ces lignes, les « sanglantes batailles » n'eurent pas lieu ! Il n'y eut qu'une brève échauffourée : ayant confisqué ce texte ridicule et injurieux pour notre respectable entreprise, j'ai, moi, président-directeur général de cette honorable société, décidé immédiatement de mettre à la porte le fautif. Quelqu'un qui se permet d'inventer des histoires aussi stupides au lieu d'accroître notre profit ne mérite pas de rester parmi nous. Nous sommes une entreprise *sérieuse*, quoi ! (j'ai bien compris que ce roi dont on voulait se moquer, c'était moi, quoi !).

Mais l'histoire, pour autant, ne s'arrête pas là.

Car, voyez-vous, un jour, en passant au 36e étage après la fermeture de nos bureaux, j'ai stupidement poussé la porte du placard à balais. La porte a tapé sur quelque chose.

— Eh !... dites donc, vous, prenez garde à mon derrière !

J'avais heurté les fesses d'une vieille femme plutôt revêche, qui s'était baissée pour ramasser dans un seau des serpillières, des éponges et des vaporisateurs.

En tant que président-directeur général, moi, je n'aime pas qu'on me parle sur ce ton, quoi !

— Vous, la femme de ménage, faites votre travail sans rechigner ! Sinon, dehors ! ai-je dit avec autorité. Et ne restez pas comme ça avec cet air à gober les mouches !

— C'est toi qui vas gober les mouches, marmonna la vieille en me jetant au visage de la poussière argentée.

— Vous êtes renvoyée ! ai-je hurlé en me frottant les yeux.

Ça me piquait, je n'y voyais plus rien et je commençais à avoir envie de manger une mouche, allez savoir pourquoi !

Furieux, j'ai regagné le couloir et j'ai poussé la porte de mon bureau. Mais ce n'était pas mon bureau, je me suis trompé, c'était le local à papier de la reprographie. J'ai marché sur le pied d'un type.

— Wouaouffwaougraounff ! a crié le type.

— Excusez-moi, je l'ai fait exprès ! ai-je ricané, tellement j'étais teigneux.

Mais ça n'était pas sur un pied que j'avais marché, c'était sur un truc qui ressemblait à une grosse queue de lézard. Vert dessus et rose dessous. Et à ce moment-là, j'ai reçu de la fumée plein la figure et une grande flamme a jailli.

Heureusement, la peur m'a donné des ailes et... je me suis envolé !

Et c'est comme ça que je suis devenu gobe-mouches dans un jardin de banlieue. La grande tour de l'entreprise a brûlé, et on n'a jamais retrouvé mon corps, c'était marqué dans le journal. Maintenant, je mène une vie paisible, mon caractère s'est amélioré, je dors bien, merci, et ne regrette pas le restaurant d'entreprise. (Au début, le goût bleuté de la mouche m'a étonné ; maintenant, j'adore ça.) Dans mon jardin préféré, non loin du R.E.R., habitent Clotilde et Corentin.

Ils grandissent avec bonheur, Clotilde et Corentin, et j'espère bien qu'ils ne deviendront jamais des grandes personnes comme

j'ai été, trop sérieux, pas rigolo du tout. Alors, avant qu'il ne soit trop tard, je me suis arraché une plume d'un coup de bec et j'ai écrit sur les feuilles de mon plus bel arbre ces contes de leurs aventures. Ceci afin de les avertir — et vous aussi, après tout : quand vous bousculez une sorcière, n'oubliez pas de lui demander pardon !

Et si vous marchez sur la queue d'un dragon, ne dites pas que vous l'avez fait exprès !

TABLE DES MATIÈRES

La sorcière du congélateur 9

Le dragon du cabanon 31

Un buffet en rideux massif 59

Bôfbeurk ! 93

Le Roi d'Argent 121

LES GRANDES HISTOIRES DE LA VIE

Tu as aimé ce livre.
En voici d'autres dans la même collection :

Dix contes de loups
Jean-François Bladé

Savez-vous que les guêpes et les limaçons sont plus malins que les loups ? Que le renard est plus rusé ? Que l'oie, la poulette et le chat sont plus futés ? Voici dix contes du pays gascon qui vont mettre en déroute tout ce que vous pensiez savoir sur les loups.

Le shérif à quatre pattes
Keith Brumpton

Il a mauvaise haleine, pour un rien il dégaine. Même les serpents en ont la trouille. Et les shérifs sont comme des nouilles ! À midi pile, le Putois et son gang des Pourris débarqueront à Trouille City. Comment la Gâchette, le shérif à quatre pattes, affrontera-t-il les plus sales bandits de tout le Far West ?

Romarine
Italo Calvino

Romarine, Poirette, Pomme et Peau... autant de curieux personnages et de drôles d'histoires menées tambour battant par le grand écrivain Italo Calvino. Huit contes du folklore italien à savourer pour le plaisir de s'en laisser conter...

On demande grand-père gentil et connaissant des trucs
Georges Coulonges

Pascal est le seul de la bande à avoir son grand-père à la maison. Son ami Antoine est jaloux : lui n'en a pas du tout. Il décide de s'en trouver un par le biais d'une petite annonce. Mais pour épater les copains, il doit bien le choisir...

Grand-père est un fameux berger
Georges Coulonges

Pour Antoine, enfant de la ville qui n'a jamais vu une vache de près, les vacances chez son grand-père dans l'Aveyron sont une aventure. Mais, surtout, il est fasciné par ce vieil homme qui sait tout faire et parle patois. Bientôt, c'est le grand amour entre eux deux.

Grain-d'Aile
Paul Eluard

Grain-d'Aile est si légère qu'il lui est très facile de sauter dans les arbres pour rejoindre ses amis les oiseaux. Mais ce qu'elle désire par-dessus tout, c'est voler avec eux. Un jour, l'écureuil lui propose d'échanger ses bras contre des ailes.

La soupière et la cuillère
Michael Ende

Au royaume de droite, on célèbre le baptême de la princesse Praline, au royaume de gauche celui du prince Saffian. À la première, Serpentine Fofolle, la méchante fée, offre une soupière, au second une cuillère. L'un sans l'autre, les objets sont sans valeur. Réunis, ils ont un pouvoir magique…

L'homme au doigt coupé
Sarah Garland

Qu'est-il arrivé à l'homme au doigt coupé, le sinistre voisin de Clive ? Pourquoi a-t-il disparu ? Et que signifie l'envoi à l'école d'un mystérieux squelette à qui il manque un doigt ?

Touche pas à mon dragon
Jackie French Koller

Alex, neuf ans, ne rêve que de chasser et de tuer les dragons, ennemis de son peuple. Mais lorsqu'il se retrouve nez à nez avec un dragon orphelin, il est incapable de toucher à une seule écaille de l'innocente petite créature…

Brutus, superchampion
Linda Gondosh

Tant pis si c'est un caniche nain ! Victor appellera son chien Brutus, un nom de costaud. Mais voilà, l'animal ne pense qu'à danser et à manger des croquettes pour chats ! Il n'a rien du champion que Victor espérait dresser pour un concours. Avec lui, l'enfant s'attend au pire mais il a tort…

Thé de sorcière et gâteau de roi
Bärbel Haas

Tous les mercredis après-midi, les sorcières vont prendre le thé chez Rosine. Celle-ci leur prépare son fameux thé à la bave de putois, des petits gâteaux et une belle tempête. Mais ce jour-là, un invité inattendu fait son apparition. Il a un gros problème à résoudre.

Sophie fait des histoires
Peter Härtling

Sophie a presque sept ans. Elle n'a pas la langue dans sa poche et avec elle on ne s'ennuie jamais. Il n'y a qu'à demander à Clément, son grand frère, à Madame Heinrich, sa maîtresse, ou à Catherine et Olivier, ses camarades de classe.

La chose du lavabo
Frieda Hughes

Comment faire un exposé sur son animal familier quand on n'en possède pas ? Peter se désespère jusqu'au jour où il découvre un locataire dans sa salle de bains : une chose gluante et indescriptible qui sort à la fois un œil du trou du lavabo et une main de celui de la baignoire...

Seuls dans la neige
Shirley Isherwood

Grand-père est parti chercher une brebis égarée dans la neige. Alice, huit ans, et son petit frère attendent, seuls, son retour. Mais la tempête fait rage et Alice commence à s'inquiéter...

Le lapin de pain d'épice
Randall Jarrell

Une maman a confectionné pour sa petite fille un lapin-gâteau vraiment pas comme les autres : la peur d'être mangé le pousse à fuir dans la forêt. La maman le poursuit. Quelle histoire !...

N'embrassez pas les grenouilles
Robert Leeson

Anne a une drôle d'habitude. Elle embrasse les grenouilles. Un jour, l'une d'elles se transforme en un prince... pas du tout charmant ! À ses côtés, la vie n'a rien du conte de fées espéré.

Un papa pas possible
Pierre Louki

Mon père est horloger. Il a tout pour être heureux. Eh bien, non, c'est du théâtre qu'il veut faire ! Alors, au lieu de réparer ses montres, il fait des grimaces devant la glace. Pour les clients qui entrent dans le magasin, ça ne fait pas sérieux...

Annie dans la valise
Pierre Louki

Annie, Jérôme et Nicolas doivent prendre le train tout seuls. Mais au moment de monter dans le wagon, Jérôme s'aperçoit qu'il a perdu son billet. Les enfants décident qu'Annie, la plus petite, voyagera cachée dans une valise...

Souris par-ci, souris par-là
Pat Moon

Ce que Marie redoutait est arrivé : la souris blanche que son frère lui a confiée s'est échappée. Elle a beau chercher partout, aucun signe du nez rose et des moustaches frémissantes de l'animal chéri.

Une vieille histoire
Susie Morgenstern

« Mémé, est-ce que tu aimerais être jeune encore une fois ? » Elle n'a pas besoin de réfléchir pour répondre. Sans aucune hésitation, elle dit : « Non, j'ai eu mon tour d'être jeune et maintenant c'est mon tour d'être vieille. J'ai eu ma part de gâteau et mon ventre est plein. »

Bravo, Tristan !
Marie-Aude Murail

Olivier, c'est le plus fort de toute l'école et tout le monde en a peur sauf Jujube. Il m'a mis sur sa liste de guerre. J'ai peur. Si, au moins, je pouvais entrer dans la bande à Jujube !

On a piégé le mammouth
Jackie Niebisch

Quatre enfants des cavernes décident de chasser un mammouth, plutôt que de cueillir des baies et des noisettes. Le plus petit d'entre eux dit qu'il suffit de tendre un piège : on creuse un trou, le mammouth tombe dedans et on l'achève avec la lance. C'est tout.

Fiston et Gros-Papa
Gérard Pussey

Moi, c'est Fiston et mon papa c'est Gros-Papa. On vit ensemble tous les deux et on s'aime très fort. Ma mère est déesse chez les Pygmées. Gros-Papa est horloger, il fabrique l'heure du quartier. Il aime Napoléon, son violon et les gros gâteaux ! Gros-Papa veille sur moi, un tout petit peu trop...

Fiston marie Gros-Papa
Gérard Pussey

Gros-Papa n'est plus aussi drôle qu'avant. Il se trouve trop gros et ne pense plus qu'à maigrir. Pour Fiston, il y a de l'amour dans l'air. Et ça n'est pas facile à gérer, quand votre petite copine à vous vient de déménager et que votre mère réapparaît brusquement, au bout de huit ans. Mais Fiston peut compter sur le meilleur des papas.

Graine de fantôme
Nina Rauprich

Spoki pense que les vieux trucs de ses parents, Horronimo le revenant et Clapotine l'ondine, sont dépassés. Il décide de devenir un fantôme moderne et d'utiliser l'arme la plus efficace contre les humains : cette caisse magique appelée télévision. Gare à Spoki le Terrible, roi des téléviseurs hantés !

Une tante sous hypnose
Denny Robson

Pour Marie-Emilie, rien ne va plus : sa grand-tante vient la garder toute la semaine. « Elle est casse-pieds, vieille, et puis, elle ne m'aime pas ! Et si on l'hypnotisait pour lui faire faire n'importe quoi ? »

Timothée tête en l'air
Margaret Ryan

Timothée est sélectionné pour un concours inter-écoles. Mais il est inquiet. Il sait qu'il est tête en l'air. Que se passera-t-il si, au moment crucial, il oublie pourquoi les bouchons flottent ou ce qu'est un astéroïde ? Il s'en fait d'autant plus que ses adversaires sont les champions de l'esbroufe.

Personne ne m'aime
Susan Shreve

Persuadée que sa famille a cessé de l'aimer, Julie Spencer n'a plus qu'une idée en tête : rejoindre un orphelinat pour y demander l'asile. Au dernier moment, elle décide de ne pas partir seule : elle emmènera aussi Poussin, sa toute petite sœur...

Ils sont nuls, ces héros !
Catherine Storr

Lisa pense que les héros des contes de fées que sa maman lui lit se comportent comme des nuls. Elle se met donc à leur place pour leur imaginer un autre destin. Cela donne des choses aussi surprenantes qu'une Cendrillon dansant comme un pied ou qu'un Petit Ours complice de Boucle d'Or !

Polly la futée et cet imbécile de loup
Catherine Storr

Pour attraper Polly et la manger, il ne néglige rien, ce loup, ni la magie ni les vieux trucs des contes de fées. Mais le duel est inégal : Polly est loin d'être une idiote car elle a beaucoup lu, elle aussi, et le loup, lui, n'est pas très futé.

Encore Polly, encore le loup !
Catherine Storr

« C'est ça qui cloche, bien sûr ! s'exclama le loup en se frappant le front. Je suis devenu un imbé... euh, je ne suis pas aussi futé que d'habitude. » Futée, Polly l'est toujours. Et maintenant, c'est elle qui menace de manger ce pauvre loup !

LES GRANDES HISTOIRES DE LA VIE

Composition : Francisco *Compo*
61290 Longny-au-Perche

Achevé d'imprimer en juin 1998
par Maury-Eurolivres S.A.
45300 Manchecourt

Dépôt légal : juillet 1998.

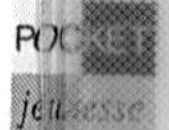

12, avenue d'Italie • 75627 PARIS Cedex 13
Tél. : 01.44.16.05.00